101
RECETAS PARA
GALLETAS

Recopilación de sus Favoritas

PUBLICATIONS INTERNATIONAL, LTD.

En la portada se ilustra: Galletas Gigantes de Crema de Cacahuate (*página 46*).
En la contraportada se ilustran *(de izquierda a derecha)*: Galletas Girasol (*página 100*) e Irresistibles Galletas de Crema de Cacahuate (*página 10*).

ISBN: 0-7853-8560-6

Número de Tarjeta del Catálogo de la Biblioteca del Congreso: 2002117489

Hecho en China.

8 7 6 5 4 3 2 1

Cocción en Horno de Microondas: La potencia de los hornos de microondas es variable. Utilice los tiempos de cocción como guía y revise qué tan cocido está el alimento antes de hornear por más tiempo.

101
RECETAS PARA
GALLETAS
Recopilación de sus Favoritas

Galletas
Consejos Para Hornearlas

Crujientes o suaves, con betún o con especias, rellenas o cubiertas, las galletas son una de las golosinas favoritas de todos. Si quiere hornear algo para cuando los niños lleguen de la escuela o para un día de campo, con *101 Recetas para Galletas* podrá preparar cualquier clase de galletas, barras y brownies.

Desde sencillas galletas que se deshacen en la boca hasta hermosas galletas festivas, estas recetas son muy fáciles de preparar, hornear y comer. La siguiente guía está repleta de sugerencias y consejos para hornear las galletas. Asegúrese de leer esta sección antes de empezar.

Esta útil información y las más de 101 recetas incluidas constituyen una impresionante colección que usted atesorará para el futuro.

Estilos de Galletas

Los cinco tipos básicos de galleta son las bolitas, las barras, las refrigeradas, las de figura y las aplanadas. Estos tipos son determinados por la consistencia de la masa y por la manera en que se preparan.

Las **galletas de bolita** son tan sencillas como su nombre: simplemente se coloca una cucharada de masa sobre la charola. Para obtener el número de galletas que se menciona en la receta, coloque la masa con una cuchara normal y no con una cuchara para medir.

Para las **galletas de barra**, se coloca la masa en una charola poco profunda; después se hornea y, ya fría, se corta en barras. Para hacer algo diferente, corte las barras en forma de triángulos o diamantes.

Las **galletas refrigeradas** (también conocidas como galletas rebanadas y horneadas) se hacen formando un tronco con la masa, el cual se mete al refrigerador hasta que esté firme, se rebana y se hornea.

Las **galletas de figura** se logran moldeando la masa con la mano, para formar bolitas, troncos, lunas u otras figuras. Puede decorar estas galletas antes de hornearlas: espolvoréelas con azúcar, rellénelas con jalea, cúbralas con dulces o aplánelas con un tenedor.

Las **galletas aplanadas** se hacen con un rodillo. Primero se extiende la masa y luego se cortan diferentes figuras utilizando un cortador para galletas. Estas galletas se pueden decorar con grageas antes de hornear o se pueden cubrir con betún después de que se hayan enfriado.

Cómo Medir los Ingredientes

Ingredientes Secos: Siempre utilice cucharas y tazas con medidas estándar. Llene el utensilio adecuado por encima de lo indicado y luego nivele con un cuchillo.

Cuando mida harina, colóquela en la taza para medir con una cuchara. No golpee la taza, ya que esto compactará la harina. Si alguna receta requiere "harina cernida", ciérnala antes de medirla.

Ingredientes Líquidos: Utilice una taza para medir con pico para verter. Coloque la taza sobre una superficie plana y llénela hasta la marca indicada. Para evitar que las sustancias pegajosas, como la miel o la melaza, se adhieran a la taza, engrásela con aceite en aerosol antes de usarla.

Cómo Derretir el Chocolate

Asegúrese de que los utensilios para derretir el chocolate estén completamente secos. La humedad causa que el chocolate "se trabe", es decir, que se endurezca y se torne veteado. Si esto sucede, agregue ½ cucharadita de manteca (no mantequilla) por cada 30 gramos de chocolate, y luego mueva hasta obtener una consistencia suave. El chocolate se quema muy fácilmente; una vez que esto sucede, no se puede utilizar. Siga uno de estos tres métodos para derretir el chocolate:

Baño María: Ésta es la manera más segura, ya que evita que el chocolate se queme. Coloque el chocolate en un recipiente dentro de una olla que contenga agua caliente (no hirviente); mueva hasta obtener una consistencia suave. (Asegúrese de que el agua no hierva y no llegue a la orilla de la olla del recipiente colocado en el interior.) Tenga cuidado de que no entre vapor o agua al chocolate.

Calor Directo: Coloque el chocolate en una sartén pesada y derrita a fuego muy bajo, moviendo constantemente. Retírelo del fuego tan pronto como se derrita. Asegúrese de cuidar el chocolate, ya que puede quemarse fácilmente al utilizar este método.

Horno de Microondas: Coloque una tablilla de 30 gramos o 1 taza de chispas de chocolate en un recipiente para microondas. Hornee a temperatura ALTA (100%) de 1 a 1½ minutos; mueva después de 1 minuto. Bata el chocolate en intervalos de 30 segundos hasta obtener una consistencia suave. Asegúrese de batir el chocolate, ya que mantendrá su forma original aun cuando se esté derritiendo.

Técnicas para Tostar y Pintar

Cómo Tostar Nueces: Al tostar las nueces se enriquece su olor y su fragancia. Coloque las nueces en una sola capa sobre una charola. Hornee a 160° C, de 8 a 10 minutos o hasta que estén doradas; voltéelas ocasionalmente para asegurar un tostado uniforme. Las nueces se oscurecerán y estarán más crujientes conforme se enfríen.

Cómo Tostar Coco: Coloque el coco rallado sobre una charola. Hornee a 160° C de 7 a 10 minutos. Ocasionalmente, agite la charola o mueva el coco para evitar que se queme y para ayudar a que se tueste de manera uniforme.

Cómo Pintar el Coco: Diluya algunas gotas de colorante

vegetal en ½ cucharadita de leche o agua en un recipiente. Agregue de 1 a 1⅓ cucharaditas de coco rallado y mezcle con un tenedor hasta que quede pintado de manera uniforme.

Cómo Batir y Hornear las Mejores Galletas

El secreto para lograr unas deliciosas galletas está en saber hornearlas. Asegúrese de leer las siguientes instrucciones de horneado para lograr sensacionales resultados.

• Antes de empezar, lea toda la receta y asegúrese de tener todos los ingredientes necesarios.

• La mantequilla y la margarina se pueden intercambiar únicamente si ambas están en la lista de ingredientes. No utilice sustitutos bajos en calorías, ni margarina suave o en tubo, a menos que la receta lo especifique.

• Antes de preparar la masa de las galletas, tueste y pique las nueces, pele y rebane la fruta, y derrita el chocolate.

• Las charolas brillantes para hornear son las más recomendables, ya que reflejan el calor y producen un dorado ligero y delicado.

• Engrase las charolas únicamente cuando la receta lo recomiende; de no hacerlo así, las galletas se extenderán demasiado. Cuando prepare barras de galleta, utilice el tamaño de charola que especifica la receta.

• Hornee las galletas en la parte media del horno, una charola a la vez. Si hornea más de una, es posible que las galletas no se doren de manera uniforme.

• Enfríe completamente las charolas antes de colocar más masa sobre ellas. Cuando se pone la masa mientras la charola aún está caliente puede causar que la galleta se extienda de más.

Cómo Guardar y Congelar

La mayoría de la masa para galletas y las galletas se pueden preparar con antelación, y pueden guardarse o congelarse para un uso futuro. La manera de guardar depende del tipo de galleta que esté preparando.

• La masa sin hornear puede refrigerarse hasta por una semana o congelarse hasta por seis semanas. Los rollos de masa (para galletas refrigeradas) deben ser envueltos firmemente con plástico; otras masas deben guardarse en recipientes herméticos.

• Mantenga las galletas suaves en recipientes herméticos. Si empiezan a secarse, agregue en el recipiente un trozo de manzana o de pan para que las galletas retengan la humedad. No guarde juntas las galletas crujientes y las galletas suaves.

• Las galletas crujientes se deben guardar en recipientes con la tapa ligeramente abierta para evitar que se genere humedad. Si se tornan pastosas, hornee las galletas sin decorar a 150° C de 3 a 5 minutos, para restaurar su consistencia.

• Las galletas con glaseado pegajoso, con decoraciones frágiles y con betún, deben ser guardadas en capas, entre hojas de papel encerado.

• Como regla, las galletas crujientes se congelan mejor que las suaves (que son más húmedas). Las galletas con mantequilla son una excepción, ya que se pueden congelar muy bien. Congele las galletas en recipientes herméticos o en bolsas para congelar hasta por seis meses. Para descongelar las galletas y los brownies, desenvuélvalos a temperatura ambiente. Las galletas de merengue no se congelan bien, y las bañadas con chocolate pierden su color al congelarse.

Cómo Enviar Galletas

Prepare galletas suaves y húmedas en vez de crujientes, ya que las primeras soportan mejor el movimiento y no se desmoronan tan fácilmente. Por lo general, los brownies y las galletas de barra son fuertes; sin embargo, evite enviar aquellas que tengan relleno o betún, ya que se tornan pegajosas a temperatura ambiente.

Envuelva cada tipo de galleta por separado, para preservar los sabores y las texturas. Las galletas también se pueden envolver en pares, con la parte plana junta, en plástico o en papel de aluminio. Las galletas de barra deben ser empacadas en capas del tamaño del recipiente, o se pueden enviar en una charola de aluminio cubierta, siempre y cuando el interior esté bien acojinado. Coloque las galletas envueltas tan juntas como sea posible dentro de una caja o recipiente resistente.

Fabulosos Toques Finales

Dedique unos minutos más en ciertas decoraciones para agregar una presentación especial. Intente llevar a cabo alguna de las siguientes ideas para darle una mejor apariencia a sus galletas y brownies.

Chocolate para Recubrir: No existe nada que haga que una galleta sea más llamativa que una cubierta de chocolate. Simplemente sumerja las galletas en chocolate derretido (oscuro, blanco, de leche o un poco de cada uno), y colóquelas sobre papel encerado hasta que el chocolate esté firme.

Glaseado de Chocolate: Utilice una cuchara o un tenedor para glasear las galletas con chocolate derretido. O derrita el chocolate y colóquelo en una duya para dibujar sobre las galletas las figuras que usted desee.

Nueces: Las nueces le dan un sabor y una textura diferentes a cualquier tipo de galleta. Intente utilizar nueces en combinación con glaseado blanco o de chocolate para crear una irresistible presentación.

Azúcar de color, Granillo y Dulces: Estas decoraciones son sencillas y divertidas, y sirven para decorar cualquier galleta.

Presentaciones Creativas de Galletas

Para su siguiente fiesta de cumpleaños o celebración, utilice galletas para hacer que su comida sea divertida.

Paletas de Galleta: Antes de hornear, coloque palitos de paleta en bolitas de la masa para galleta. Aplane la bolita con la mano para crear una paleta redonda. Hornee según las instrucciones de la receta.

Galletas Sándwich con Helado: Haga de sus galletas favoritas de chocolate unas deliciosas golosinas congeladas. Simplemente arme pares de galletas con 1/3 de taza de helado suavizado; presione un poco las galletas. Envuelva con plástico cada sándwich y congélelo hasta que el helado esté firme.

Sundae con Galleta: Agregue galletas o brownies a un recipiente con helado para crear un delicioso postre.

Alegres

FAVORITAS DEL GALLETERO

Crujientes Gotas de Avena

1 taza (2 barras) de mantequilla o
   margarina suavizada
½ taza de azúcar granulada
½ taza compacta de azúcar morena
1 huevo grande
2 tazas de harina de trigo
½ taza de avena sin cocer, tradicional o de
   cocción rápida
1 cucharadita de cremor tártaro
½ cucharadita de bicarbonato de sodio
¼ de cucharadita de sal
1¾ tazas de chocolate confitado
1 taza de cereal de arroz tostado
½ taza de coco rallado
½ taza de nuez picada grueso

Caliente el horno a 180 °C. En un recipiente grande, bata a punto de crema la mantequilla, el azúcar morena y el azúcar, hasta obtener una consistencia ligera y esponjosa; agregue el huevo y bata bien. En un recipiente mediano, mezcle la harina, la avena, el cremor tártaro, el bicarbonato de sodio y la sal. Añada la mezcla de harina a la mantequilla; bata bien. Ponga las grageas de chocolate confitado, el cereal, el coco y la nuez. Haga bolitas de la masa en una charola para hornear sin engrasar, separadas 2.5 cm entre sí. Hornee de 10 a 13 minutos o hasta que doren ligeramente. Deje enfriar por completo en una rejilla y guarde en un recipiente bien tapado.

Rinde unas 4 docenas de galletas

Crujientes Gotas de Avena

Irresistibles Galletas de Crema de Cacahuate

1¼ tazas compactas de azúcar morena
¾ de taza de crema de cacahuate (maní)
½ taza de manteca vegetal
3 cucharadas de leche
1 cucharada de vainilla
1 huevo
1¾ tazas de harina de trigo
¾ de cucharadita de bicarbonato de sodio
¾ de cucharadita de sal

1. Caliente el horno a 190 °C. Coloque una hoja de papel de aluminio para enfriar las galletas.

2. Mezcle el azúcar morena, la crema de cacahuate, la manteca, la leche y la vainilla en un recipiente grande. Bata a velocidad media con batidora eléctrica. Agregue el huevo y bata bien.

3. Revuelva la harina, el bicarbonato de sodio y la sal. Agregue a la mezcla y bata a velocidad baja.

4. Coloque bolitas de masa en una charola sin engrasar, separadas 5 cm entre sí. Aplánelas ligeramente y, con un tenedor, ralle en forma de cuadros.

5. Hornee una charola a la vez a 190 °C de 7 a 8 minutos o hasta que empiecen a dorar. *No hornee de más.* Deje enfriar durante 2 minutos en la charola y coloque en el papel de aluminio para que se enfríen totalmente.

Rinde unas 3 docenas de galletas

Escocesas de Avena

1¼ tazas de harina de trigo
1 cucharadita de bicarbonato de sodio
½ cucharadita de sal
½ cucharadita de canela molida
1 taza (2 barras) de mantequilla o margarina suavizada
¾ de taza de azúcar granulada
¾ de taza de azúcar morena
2 huevos
1 cucharadita de extracto de vainilla *o* ralladura de cáscara de 1 naranja
3 tazas de avena rápida o tradicional
1⅔ tazas de caramelos de mantequilla escocesa

MEZCLE la harina, el bicarbonato, la sal y la canela en un recipiente pequeño. Bata la mantequilla, el azúcar, el azúcar morena, los huevos y el extracto de vainilla en un recipiente grande. De manera gradual, agregue la mezcla de harina. Bata bien y añada la avena y los caramelos. Coloque bolitas de la masa en las charolas para hornear sin engrasar.

HORNEE a 190 °C de 7 a 8 minutos para galletas suaves, o de 9 a 10 minutos para galletas crujientes. Deje enfriar en la charola durante 2 minutos; ponga en una rejilla y deje enfriar completamente.

Rinde unas 4 docenas de galletas

Escocesas de Avena de Sartén: DISTRIBUYA la masa en una charola engrasada de 40×25 cm. Hornee a 190 °C de 18 a 22 minutos o hasta que hayan dorado ligeramente. Deje enfriar completamente. Rinde 4 docenas de barras.

Irresistibles Galletas de Crema de Cacahuate

Galletas de Doble Chocolate con Cereza

GALLETAS

1½ tazas compactas de azúcar morena
⅔ de taza de manteca vegetal
1 cucharada de agua
1 cucharadita de vainilla
2 huevos
1½ tazas de harina de trigo
⅓ de taza de cocoa sin endulzar
½ cucharadita de sal
¼ de cucharadita de bicarbonato de sodio
30 a 40 cerezas

BETÚN

½ taza de chispas de chocolate semiamargo
o chispas de chocolate blanco
½ cucharadita de manteca vegetal

1. Caliente el horno a 190 °C. Coloque una hoja de papel de aluminio para enfriar las galletas.

2. Para las galletas, ponga el azúcar morena, la manteca, el agua y la vainilla en un recipiente grande. Bata a velocidad media con batidora eléctrica. Agregue los huevos y bata bien.

3. Mezcle la harina de trigo, la cocoa, la sal y el bicarbonato de sodio. Añada a la mezcla de manteca y bata a velocidad baja.

4. Cubra las cerezas completamente con una cucharada de la masa. Coloque las galletas a 5 cm de distancia entre sí en una charola sin engrasar.

5. Hornee una charola a la vez de 7 a 9 minutos o hasta que las galletas estén listas. *No hornee de más*. Deje enfriar durante 2 minutos en la charola. Retire de la charola y deje enfriar por completo en el papel de aluminio.

6. Para el betún, ponga las chispas de chocolate y la manteca en una bolsa de plástico; cierre la bolsa y hornee en el microondas a temperatura MEDIA durante 1 minuto. Agite y vuelva a hornear por 30 segundos más. Haga un pequeño corte en un extremo de la bolsa; adorne las galletas con el betún.

Rinde unas 3 docenas de galletas

Galletas de Fruta

1 taza de margarina o mantequilla suavizada
¼ de taza de azúcar
1 cucharadita de extracto de almendra
2 tazas de harina de trigo
½ cucharadita de sal
1 taza de nuez finamente picada
Frutas mixtas secas

Caliente el horno a 200 °C. En un recipiente grande, bata la margarina y el azúcar hasta obtener una consistencia ligera y esponjosa. Agregue el extracto de almendra. Mezcle la harina y la sal; añada a la mezcla de margarina y bata bien. Forme bolitas de masa del tamaño de una cuchara; ruédelas sobre la nuez. Coloque las galletas en una charola sin engrasar separadas 5 cm entre sí; aplane un poco. Haga una pequeña hendidura en el centro de cada galleta y rellene con la fruta. Hornee de 10 a 12 minutos o hasta que hayan dorado ligeramente. Deje enfriar.

Rinde 2½ docenas de galletas

Galletas de Doble Chocolate con Cereza

Galletas de Azúcar con Doble Chocolate

    2 claras de huevo ligeramente batidas
    ¼ de taza de aceite vegetal
    1 cucharada de agua
    1 cucharadita de extracto de vainilla
    2½ tazas de Cocoa para Hornear (receta más
        adelante)
    ¼ de taza de azúcar
        Glaseado de Chocolate (receta más
        adelante)

Caliente el horno a 180 °C. Engrase una charola con aceite en aerosol. En un recipiente mediano, mezcle las claras de huevo, el aceite, el agua y la vainilla. Agregue la Cocoa para Hornear; mezcle muy bien. Forme bolitas de 2.5 cm. Ruédelas sobre el azúcar y cúbralas muy bien. Coloque las bolitas sobre una charola para hornear a 5 cm de separación entre sí. Aplane las bolitas con la parte inferior de un vaso.

Hornee de 6 a 8 minutos o hasta que estén listas. Deje enfriar por 5 minutos; retire de la charola. Deje enfriar por completo. Adorne las galletas con el Glaseado de Chocolate. Deje reposar durante unos minutos. Guarde en un recipiente tapado a temperatura ambiente.

Rinde 2½ docenas de galletas

Cocoa para Hornear: Mezcle 4½ tazas de harina, 2¾ tazas de azúcar, 1¼ tazas de cocoa, 1 cucharada más ½ cucharadita de polvo para hornear, 1¾ cucharaditas de sal y 1¼ cucharaditas de bicarbonato de sodio. Guarde en un recipiente con tapa en un lugar fresco y seco hasta por un mes. Agite antes de usar. Rinde 8 tazas de mezcla.

Glaseado de Chocolate: En un recipiente para microondas, coloque ¼ de taza de chispas de chocolate semiamargo y ½ cucharadita de manteca vegetal (no utilice mantequilla, margarina o aceite). Hornee en el microondas a temperatura ALTA durante 30 segundos; mezcle bien. Si es necesario, vuelva a hornear durante 30 segundos más o hasta que el chocolate se haya derretido y la mezcla esté suave. Use inmediatamente.

Galletas de Avena con Canela y Chabacano

    ⅓ de taza de agua
    180 g de chabacanos (albaricoques)
        deshidratados, picados
    1¼ tazas compactas de azúcar morena
    ¾ de taza de manteca vegetal
    1 huevo
    ⅓ de taza de leche
    1½ cucharaditas de vainilla
    3 tazas de avena rápida sin cocer
    1 taza de harina de trigo
    ½ cucharadita de bicarbonato de sodio
    ½ cucharadita de sal
    ¼ de cucharadita de canela
    1 taza más 2 cucharadas de nuez picada

1. Coloque ⅓ de taza de agua en una sartén pequeña. Hierva a fuego alto. Ponga los chabacanos picados en un colador sobre el agua hirviente. Reduzca el fuego a bajo. Tape; hierva durante 15 minutos.

2. Caliente el horno a 190 °C. Engrase con manteca las charolas para hornear. Prepare hojas de papel de aluminio para enfriar las galletas.

3. Mezcle el azúcar morena, la manteca, el huevo, la leche y la vainilla en un recipiente grande. Bata a velocidad media hasta obtener una consistencia suave.

4. Combine la avena, la harina, el bicarbonato de sodio, la sal y la canela. Agregue esta mezcla a la manteca y bata a velocidad media. Añada las nueces, los chabacanos y el líquido de los chabacanos.

5. Coloque bolitas de la masa en la charola previamente preparada, con una separación de 5 cm entre sí.

6. Hornee una charola a la vez de 10 a 12 minutos o hasta que las galletas hayan dorado ligeramente. *No hornee de más.* Deje enfriar durante 2 minutos en la charola. Ponga las galletas sobre el papel de aluminio y deje enfriar completamente.

Rinde de 3½ a 4 docenas de galletas

Galletas de Doble Chocolate

2¼ tazas de harina de trigo
1 cucharadita de bicarbonato de sodio
1 cucharadita de sal
1 taza (2 barras) de mantequilla o margarina suavizada
¾ de taza de azúcar granulada
¾ de taza compacta de azúcar morena
1 cucharadita de extracto de vainilla
2 huevos
60 g de chocolate para hornear sin endulzar
2 tazas de chocolate semiamargo en trocitos
1 taza de nuez picada

MEZCLE la harina de trigo, el bicarbonato de sodio y la sal en un recipiente pequeño. Bata la mantequilla, el azúcar, el azúcar morena y la vainilla en un recipiente grande. Agregue los huevos y el chocolate para hornear. Añada gradualmente en la mezcla de harina. Ponga los trocitos de chocolate y la nuez. Coloque bolitas de la masa en charolas para hornear sin engrasar.

HORNEE a 190 °C de 8 a 10 minutos o hasta que las orillas estén listas y el centro esté suave. Deje reposar durante 2 minutos; retire de la charola para dejar enfriar completamente.

Rinde unas 6 docenas de galletas (de 6 cm)

Galletas Espirales

½ taza de manteca vegetal
⅓ de taza más 1 cucharada de mantequilla
   suavizada
2 yemas de huevo
½ cucharadita de vainilla
1 paquete de harina de trigo preparada para
   torta marmoleada

1. Mezcle la manteca, ⅓ de taza de mantequilla, las yemas de huevo y la vainilla en un recipiente grande. Bata a velocidad baja. Separe el sobre de cocoa que viene en la harina de trigo preparada. De manera gradual, agregue la harina para torta. Mezcle bien.

2. Divida la masa a la mitad. Agregue el sobre de cocoa y 1 cucharada de mantequilla a una de las mitades de la masa. Amase muy bien, hasta que la masa quede del color del chocolate.

3. Coloque la masa amarilla entre dos piezas de papel encerado y aplane hasta obtener un rectángulo de 45×30×1 cm. Haga lo mismo con la masa de chocolate. Retire el papel de la parte superior de cada masa. Coloque la masa amarilla directamente encima de la del chocolate. Retire las otras dos hojas de papel. Enrolle las masas empezando por la parte más ancha. Refrigere durante 2 horas.

4. Caliente el horno a 180 °C. Engrase las charolas para galletas. Corte la masa en rebanadas de 1 cm. Ponga las rebanadas en la charola previamente engrasada con una separación de 2.5 cm entre sí. Hornee de 9 a 11 minutos o hasta que hayan dorado ligeramente. Deje enfriar durante 5 minutos en la charola. Retire la charola y deje enfriar por completo. *Rinde unas 3½ docenas de galletas*

Galletas de Avena con Chispas de Crema de Cacahuate

1 taza (2 barras) de mantequilla o
   margarina suavizada
¼ de taza de manteca
2 tazas compactas de azúcar morena
1 cucharada de leche
2 cucharaditas de extracto de vainilla
1 huevo
2 tazas de harina de trigo
1⅔ tazas de chispas de crema de cacahuate
   (maní)
1½ tazas de avena regular o de cocción rápida
½ taza de nuez picada
½ cucharadita de bicarbonato de sodio
½ cucharadita de sal

Caliente el horno a 190 °C. En un recipiente grande, bata la mantequilla, la manteca, el azúcar morena, la leche, la vainilla y el huevo hasta obtener una consistencia ligera y esponjosa. Agregue los demás ingredientes y mezcle bien. Coloque bolitas de masa en una charola sin engrasar, con una separación de 5 cm entre sí. Hornee hasta que estén ligeramente doradas, de 10 a 12 minutos para galletas suaves o de 12 a 14 minutos para galletas crujientes. Retire de la charola y deje enfriar por completo.
Rinde unas 6 docenas de galletas

Galletas Espirales

Galletas Suaves de Sidra

  1 taza compacta de azúcar morena
  ½ taza de margarina suavizada
  ½ taza de sidra de manzana
  ½ taza de sustituto de huevo
  2¼ tazas de harina de trigo
  1½ cucharaditas de canela en polvo
  1 cucharadita de bicarbonato de sodio
  ¼ de cucharadita de sal
  2 manzanas medianas, peladas y picadas
    (más o menos 1½ tazas)
  ¾ de taza de almendras picadas
    Glaseado de Sidra (receta más adelante)

En un recipiente grande, con batidora eléctrica, bata el azúcar y la margarina hasta obtener una consistencia cremosa. Agregue la sidra y el sustituto de huevo; bata hasta suavizar. A velocidad baja, de manera gradual, añada la harina de trigo, la canela, el bicarbonato de sodio y la sal. Incorpore las manzanas y las almendras.

Coloque bolitas de la masa en una charola previamente engrasada, con una separación de 5 cm entre sí. Hornee a 190 °C de 10 a 12 minutos o hasta que hayan dorado. Retire de las charolas; deje enfriar por completo en rejillas. Adorne con el Glaseado de Sidra.

Rinde 4 docenas de galletas

Glaseado de Sidra: En un recipiente pequeño, mezcle 1 taza de azúcar glass y 2 cucharadas de sidra de manzana; bata hasta obtener una consistencia suave.

Tiempo de Preparación: 30 minutos

Tiempo de Horneado: 12 minutos

Galletas Tradicionales de Avena y Pasas

  1 taza de manteca vegetal
  1 taza de azúcar granulada
  1 taza compacta de azúcar morena
  2 huevos
  1 cucharadita de extracto de vainilla
  1½ tazas de harina de trigo
  1 cucharadita de bicarbonato de sodio
  1 cucharadita de canela en polvo
  ¼ de cucharadita de nuez moscada molida
  3 tazas de avena rápida o tradicional
  1 taza de uvas pasa

Caliente el horno a 180 °C. Engrase ligeramente una charola para galletas. Bata la manteca, el azúcar granulada y el azúcar morena hasta obtener una consistencia cremosa. Agregue los huevos y la vainilla; bata bien. Mezcle la harina de trigo, el bicarbonato de sodio, la canela, la nuez moscada y la sal. Añada esta mezcla a la de manteca; bata bien. Incorpore la avena y las uvas pasa; revuelva bien. Coloque bolitas de esta masa en la charola previamente engrasada.

Hornee de 10 a 12 minutos o hasta que hayan dorado ligeramente. Deje reposar durante 1 minuto; deje enfriar por completo en las rejillas.

Rinde 5 docenas de galletas

Galletas Suaves de Sidra

Panqué Marmoleado

½ taza (1 barra) de mantequilla suavizada
1 taza de azúcar granulada
2 huevos grandes
1 cucharadita de extracto de vainilla
2½ tazas de harina de trigo
1 cucharadita de polvo para hornear
1 cucharadita de bicarbonato de sodio
1¾ tazas de grageas de chocolate confitadas
1 taza de almendras tostadas y rebanadas*
¼ de taza de cocoa sin endulzar
2 cucharadas de café instantáneo

*Para tostar las almendras, distribúyalas en una charola para hornear. Hornee a 180 °C de 7 a 10 minutos o hasta que hayan dorado completamente. Deje enfriar antes de usar.

Caliente el horno a 180 °C. Engrase ligeramente las charolas para galletas. Bata la crema y el azúcar hasta obtener una consistencia ligera y esponjosa; agregue los huevos y la vainilla. En un recipiente, mezcle la harina de trigo, el bicarbonato de sodio; mezcle con la mantequilla y el azúcar. La masa tendrá una consistencia dura. Agregue 1¼ tazas de los chocolates confitados y las nueces. Divida la masa a la mitad. Incorpore la cocoa y el café a una de las mitades de masa; mezcle bien. Sobre una superficie enharinada, amase las masas juntas de modo que adquieran un aspecto marmoleado. Divida la masa por la mitad y enrolle cada mitad de modo que obtenga 2 rollos de 30×5 cm; póngalos en las charolas previamente preparadas con una separación de 10 cm por lo menos. Coloque ½ taza de chocolates confitados encima de ambos rollos; presione ligeramente. Hornee durante 25 minutos. La masa se va expandir. Deje enfriar de 15 a 20 minutos. Obtenga de cada rollo 12 rebanadas; acomódelas sobre una charola con la parte cortada hacia abajo. Hornee durante 10 minutos más.

Deje enfriar completamente y guarde en un recipiente bien tapado.   *Rinde 24 porciones*

Galletas de Mantequilla al Limón

½ taza de mantequilla suavizada
½ taza de azúcar
1 huevo
1½ tazas de harina de trigo de trigo
1 cucharadita de ralladura de cáscara de limón
2 cucharadas de jugo de limón fresco
½ cucharadita de polvo para hornear
⅛ de cucharadita de sal
Azúcar adicional

Bata la mantequilla y el azúcar en un recipiente grande con batidora eléctrica hasta obtener una consistencia cremosa. Agregue el huevo y siga batiendo hasta obtener una consistencia ligera y esponjosa. Añada la harina, la ralladura, el jugo de limón, el bicarbonato de sodio y la sal. Cubra y refrigere por 2 horas o hasta que esté firme.

Caliente el horno a 180 °C. Extienda la masa, una porción pequeña a la vez, sobre una superficie enharinada hasta lograr un grosor de .5 cm. (Deje el resto de la masa en el refrigerador.) Corte con un cortador para galletas redondo de 7 cm. Coloque en charolas para hornear sin engrasar. Espolvoree azúcar sobre las galletas.

Hornee de 8 a 10 minutos o hasta que las orillas estén ligeramente doradas. Retire de las charolas y deje enfriar por completo.

Rinde unas 2½ docenas de galletas

Panqué Marmoleado

Galletitas de Crema de Cacahuate

1 taza de chispas de crema de cacahuate (maní)
½ taza de mantequilla o margarina
⅔ de taza compacta de azúcar morena
1 huevo
¾ de cucharadita de extracto de vainilla
1⅓ tazas de harina de trigo
½ taza de nuez finamente picada
¾ de cucharadita de bicarbonato de sodio
   Glaseado de Chispas de Chocolate (receta más adelante)

En una sartén mediana, coloque las chispas de crema de cacahuate y la mantequilla; cocine a fuego bajo, moviendo constantemente hasta que se derritan. Vacíe esta mezcla en un tazón grande; agregue el azúcar, el huevo y la vainilla; bata hasta que se incorporen. Agregue la harina, las nueces y el bicarbonato; revuelva bien. Refrigere de 15 a 20 minutos o hasta que esté lo suficientemente firme para extender con el rodillo.

Caliente el horno a 180 °C. Extienda una pequeña porción de masa a la vez sobre una superficie ligeramente enharinada o entre 2 hojas de papel encerado hasta obtener un grosor de 1 cm. (Guarde el resto de la masa en el refrigerador.) Con un cortador para galletas, corte la masa con las figuras que desee y colóquelas sobre charolas sin engrasar. Hornee de 7 a 8 minutos o hasta que estén casi listas (no hornee de más). Deje enfriar durante 1 minuto; retire de las charolas. Deje enfriar por completo. Adorne con el Glaseado de Chispas de Chocolate y deje reposar.   *Rinde unas 3 docenas de galletas*

Glaseado de Chispas de Chocolate: A baño María, derrita 1 taza de chispas de chocolate semiamargo con 1 cucharada de manteca; bata hasta obtener una consistencia suave. Retire del fuego y deje enfriar ligeramente; mueva de vez en cuando.

Galletas de Jengibre

2½ tazas de harina de trigo
1½ cucharaditas de jengibre molido
1 cucharadita de bicarbonato de sodio
1 cucharadita de especias mixtas molidas (allspice)
½ cucharadita de sal
1½ tazas de azúcar
2 cucharadas de margarina suavizada
½ taza de puré de manzana
¼ de taza de melaza

1. Caliente el horno a 190 °C. Engrase una charola con aceite en aerosol.

2. En un recipiente, cierna la harina, el jengibre, el bicarbonato de sodio, las especias y la sal.

3. Bata el azúcar y la margarina a velocidad media hasta obtener una consistencia suave. Agregue el puré de manzana y la melaza.

4. Añada la mezcla de puré de manzana a la de harina y mezcle bien.

5. Coloque bolitas de masa sobre una charola para hornear a una distancia de 2.5 cm entre sí. Aplane cada bolita con los dedos húmedos.

6. Hornee de 12 a 15 minutos o hasta que estén firmes. Retire de la charola y deje enfriar completamente.   *Rinde 3 docenas de galletas*

Galletitas de Crema de Cacahuate

Galletas Chiclosas de Crema de Cacahuate

2 tazas de harina de trigo
¾ de taza de cocoa
1 cucharada de bicarbonato de sodio
½ cucharadita de sal
1¼ tazas (2½ barras) de mantequilla o
    margarina suavizada
2 tazas de azúcar
2 huevos
2 cucharaditas de extracto de vainilla
1⅔ tazas (285 g) de chispas de crema de
    cacahuate (maní)

Caliente el horno a 180 °C. Mezcle la harina, la cocoa, el bicarbonato de sodio y la sal. En un tazón grande, bata la mantequilla y el azúcar hasta que obtenga una consistencia ligera y esponjosa. Agregue los huevos y la vainilla; bata bien. Añada las chispas de crema de cacahuate. Coloque cucharaditas abundantes de masa sobre una charola para hornear sin engrasar. Hornee de 8 a 9 minutos. (No hornee de más; las galletas quedarán suaves. Se inflarán mientras se hornean y bajarán cuando se enfríen.) Retire de la charola y deje enfriar completamente.

Rinde unas 4½ docenas de galletas

Receta de Sartén: Distribuya la masa en una sartén previamente engrasada. Hornee a 180 °C durante 20 minutos o hasta que estén listas. Deje enfriar completamente y córtelas en barras. Rinde unas 4 docenas de barras.

Sándwiches de Helado: Prepare las galletas siguiendo las instrucciones; deje enfriar. Coloque una bolita de helado entre los lados planos de dos galletas. Envuelva y congele.

Instrucciones para Hornear en Altitudes Elevadas: Incremente a 2 tazas más 2 cucharadas de harina. Disminuya a ¾ de cucharadita de bicarbonato de sodio. Disminuya a 1⅔ tazas de azúcar. Agregue 2 cucharadas de agua a la mezcla de harina. Hornee a 180 °C de 7 a 8 minutos. Rinde unas 6 docenas de galletas.

Galletas de Moka

2 cucharadas más 1½ cucharaditas de café
    instantáneo
1½ cucharadas de leche descremada
⅓ de taza compacta de azúcar morena
¼ de taza de azúcar granulada
¼ de taza de margarina
1 huevo
½ cucharadita de extracto de almendra
2 tazas de harina de trigo, cernida
¼ de taza de hojuelas de trigo
½ cucharadita de canela en polvo
¼ de cucharadita de polvo para hornear

Caliente el horno a 180 °C. Rocíe las charolas para galletas con aceite en aerosol. Disuelva el café instantáneo en la leche. En un tazón grande, bata ambas azúcares y la margarina hasta obtener una consistencia suave y cremosa. Bata el huevo y el extracto de almendra con la mezcla de café. Combine la harina, las hojuelas de trigo, la canela y el polvo para hornear; gradualmente, bata la mezcla de harina con la de azúcares. Coloque cucharadas de esta mezcla en las charolas para hornear; aplane con la parte posterior de un tenedor. Hornee de 8 a 10 minutos.

Rinde unas 40 galletas

Galletas de Moka

Galletas Vaqueras

½ taza de mantequilla suavizada
½ taza compacta de azúcar morena
¼ de taza de azúcar granulada
1 huevo
1 cucharadita de vainilla
1 taza de harina de trigo
2 cucharadas de cocoa sin endulzar
½ cucharadita de polvo para hornear
¼ de cucharadita de bicarbonato de sodio
1 taza de avena tradicional o rápida sin cocer
1 taza (30 g) de chispas de chocolate semiamargo
½ taza de uvas pasa
½ taza de nuez picada

Caliente el horno a 190 °C. Engrase ligeramente las charolas para galletas o cúbralas con papel pergamino.

Bata la mantequilla con ambas azúcares en un tazón grande hasta que se mezclen. Agregue el huevo y la vainilla; bata hasta obtener una consistencia esponjosa. Combine la harina, la cocoa, el polvo para hornear y el bicarbonato de sodio en un tazón pequeño; revuelva con la mezcla de mantequilla. Agregue la avena, las chispas de chocolate, las uvas pasa y las nueces. Deposite cucharadas abundantes de la masa con una separación de 5 cm entre sí en las charolas previamente preparadas.

Hornee de 10 a 12 minutos o hasta que se doren las orillas. Remueva de las charolas y déjelas enfriar. *Rinde unas 4 docenas de galletas*

Galletas de Avena y Dátil

1 taza de harina de trigo
1 taza de dátiles picados o ciruelas picadas
¾ de taza de avena de cocción rápida
1 cucharadita de canela en polvo
¾ de cucharadita de polvo para hornear
⅔ de taza compacta de azúcar morena
1 plátano mediano maduro hecho puré (½ taza)
¼ de taza de margarina suavizada
1 huevo
1 cucharadita de extracto de vainilla
Aceite vegetal en aerosol

• Mezcle la harina, los dátiles, la avena, la canela y el polvo para hornear en un tazón; deje reposar.

• Bata el azúcar, el plátano, la margarina, el huevo y la vainilla hasta que se mezclen bien. Agregue la mezcla de harina; revuelva hasta que los ingredientes se humedezcan.

• Ponga la masa en cucharaditas abundantes con una separación de 5 cm entre sí sobre las charolas previamente rociadas con aceite.

• Hornee a 190 °C de 10 a 12 minutos o hasta que doren ligeramente. Retire las galletas y deje enfriar. Guarde en un galletero hermético.
Rinde unas 3 docenas de galletas

Tiempo de Preparación: 15 minutos

Tiempo de Horneado: 12 minutos

Galletas Vaqueras

Bolitas de Doble Chocolate y Nuez

¾ de taza (1½ barras) de mantequilla o margarina suavizada
¾ de taza de azúcar granulada
¾ de taza compacta de azúcar morena
1 huevo grande
1 cucharadita de extracto de vainilla
2¼ tazas de harina de trigo
⅓ de taza de cocoa sin endulzar
1 cucharadita de bicarbonato de sodio
½ cucharadita de sal
1¾ tazas de grageas de chocolate confitadas
1 taza de nuez picada

Caliente el horno a 180 °C. Engrase ligeramente charolas para galletas. En un recipiente grande, bata la mantequilla y ambas azúcares hasta obtener una consistencia ligera y esponjosa; agregue el huevo y la vainilla; bata bien. En un recipiente mediano, mezcle la harina, la cocoa, el bicarbonato de sodio y la sal; añada a la mezcla de mantequilla. Incorpore las grageas de chocolate y las nueces. Coloque bolitas de la masa sobre las charolas para galletas, con una separación de 5 cm entre sí. Hornee de 12 a 14 minutos para galletas suaves o de 14 a 16 minutos para galletas crujientes. Retire de la charola y deje enfriar completamente. Guarde en recipientes herméticos.

Rinde unas 4 docenas de galletas

Variante: Forme con la masa un rollo de 5 cm. Cubra con plástico y refrigere. Cuando vaya a hornear, rebane la masa en ruedas de 1 cm y hornee de acuerdo con las instrucciones.

Galletas de Avena

¾ de taza de mantequilla o margarina suavizada
1 taza compacta de azúcar morena
1 huevo
1 cucharada de leche
1 cucharadita de extracto de vainilla
1½ tazas de avena rápida sin cocer
1 taza de harina de trigo
½ cucharadita de bicarbonato de sodio
½ cucharadita de sal
½ cucharadita de canela en polvo
1 taza (180 g) de chispas de chocolate semiamargo
1 taza (180 g) de chispas de mantequilla escocesa
¾ de taza de uvas pasa
½ taza de nuez picada

Caliente el horno a 180 °C. Bata la mantequilla con el azúcar morena en un recipiente grande, hasta obtener una consistencia cremosa. Agregue el huevo, la leche y la vainilla; bata hasta obtener una consistencia ligera y esponjosa. Añada la avena, la harina, el bicarbonato de sodio, la sal y la canela; mezcle bien. Ponga las chispas de chocolate, las de mantequilla, las uvas pasa y las nueces. Coloque bolitas de masa sobre una charola para galletas sin engrasar, con una separación de 5 cm entre sí.

Hornee de 12 a 15 minutos o hasta que hayan dorado las orillas. Deje enfriar durante 2 minutos sobre las charolas. Retire de las charolas y deje enfriar completamente.

Rinde unas 3 docenas de galletas

Bolitas de Doble Chocolate y Nuez

Rebosantes
DE CHISPAS

Galletas de Avena con Chispas de Chocolate

    1 paquete (500 g) de harina de trigo
       preparada para torta amarilla
    1 taza de avena instantánea sin cocer
    ¾ de taza de mantequilla o margarina
       suavizada
    2 huevos
    1 taza de chispas de chocolate semiamargo

Caliente el horno a 180 °C. Mezcle la harina preparada, la avena, la mantequilla y los huevos en un recipiente grande. Agregue las chispas de chocolate. Coloque bolitas de la masa en charolas para galletas sin engrasar.

Hornee de 10 a 12 minutos o hasta que hayan dorado ligeramente. Deje enfriar un poco; retire de las charolas. Deje enfriar por completo.

Rinde unas 4 docenas de galletas

Galletas de Plátano con Chispas de Chocolate

    2 plátanos (bananas) medianos muy
       maduros, pelados
    1 paquete (480 g) de harina preparada para
       galletas de chispas de chocolate
    ½ cucharadita de canela molida
    1 huevo ligeramente batido
    1 cucharadita de extracto de vainilla
    1 taza de germen de trigo tostado

Machaque los plátanos con un tenedor hasta obtener 1 taza de puré. Mezcle la harina para galletas y la canela. Agregue el contenido de los sobres de saborizante de la harina, el puré de plátano, el huevo y la vainilla; mezcle bien. Añada el germen de trigo. Coloque bolitas de la masa en charolas para galletas previamente engrasadas, con una separación de 5 cm entre sí. Aplane los círculos con la parte posterior de una cuchara. Hornee a 190 °C de 10 a 12 minutos o hasta que hayan dorado ligeramente. Retire de las charolas y deje enfriar. *Rinde 18 galletas*

Galletas de Avena con Chispas de Chocolate

Galletas de Crema Agria con Chispas de Chocolate

1 taza de manteca vegetal
1 taza compacta de azúcar morena
½ taza de azúcar granulada
½ taza de crema agria
¼ de taza de miel tibia
1 huevo
2 cucharaditas de vainilla
2½ tazas de harina de trigo
1½ cucharaditas de polvo para hornear
½ cucharadita de sal
2 tazas de chispas de chocolate semiamargo o de leche
1 taza de nuez picada

1. Caliente el horno a 190 °C. Engrase una charola para galletas con manteca. Prepare hojas de papel de aluminio para enfriar las galletas.

2. Mezcle la manteca y ambas azúcares en un recipiente grande. Bata a velocidad media con batidora eléctrica. Agregue la crema, la miel, el huevo y la vainilla; mezcle bien.

3. Combine la harina, el bicarbonato de sodio y la sal. Incorpore a la mezcla anterior y bata a velocidad media. Ponga las chispas de chocolate y la nuez.

4. Coloque bolitas de la masa en las charolas preparadas, con una separación de 5 cm entre sí.

5. Hornee de 10 a 12 minutos o hasta que estén listas. *No hornee de más.* Deje enfriar durante 2 minutos; retire de la charola y deje enfriar completamente.

Rinde unas 5 docenas de galletas

Galletas de Doble Chocolate con Menta

1½ tazas de chocolates semiamargos sabor menta
1¼ tazas de harina de trigo
¾ de cucharadita de bicarbonato de sodio
½ cucharadita de sal
½ taza de mantequilla suavizada
½ taza compacta de azúcar morena
¼ de taza de azúcar
½ cucharadita de extracto de vainilla
1 huevo
½ taza de nuez picada

DERRITA ¾ de taza de chocolates en baño María en agua caliente (no hirviente); bata hasta obtener una consistencia suave. Retire del fuego y deje enfriar a temperatura ambiente.

MEZCLE la harina de trigo, el bicarbonato de sodio y la sal. Bata la mantequilla, el azúcar morena, el azúcar y el extracto de vainilla en un recipiente grande. Incorpore el chocolate derretido y el huevo. Bata el chocolate restante y las nueces. Coloque bolitas de la masa en charolas para hornear sin engrasar. Hornee a 190 °C de 8 a 9 minutos. Deje enfriar las charolas de 2 a 3 minutos. Retire de las charolas y deje enfriar completamente.

Rinde unas 1½ docenas de galletas (de 5 cm)

Galletas de Crema Agria con Chispas de Chocolate

Galletas Ensueño con Chispas de Chocolate

1¼ tazas de azúcar morena
¾ de taza de manteca vegetal
3 huevos ligeramente batidos
2 cucharaditas de vainilla
1 paquete (120 g) de chocolate alemán dulce derretido
3 tazas de harina de trigo
1 cucharadita de bicarbonato de sodio
½ cucharadita de sal
1 paquete (350 g) de chispas de chocolate de leche
1 paquete (350 g) de chispas de chocolate semiamargo
1 taza de nuez de macadamia picada

1. Caliente el horno a 190 °C. Prepare hojas de papel de aluminio para enfriar las galletas.

2. Mezcle el azúcar morena, la manteca, los huevos y la vainilla en un recipiente grande. Bata con batidora eléctrica a velocidad media. Aumente la velocidad a alta y bata durante 2 minutos más. Agregue el chocolate derretido y mezcle bien.

3. Combine la harina, el bicarbonato de sodio y la sal. De manera gradual, añada a la mezcla de manteca batiendo a velocidad baja.

4. Bata las chispas de chocolate, los trozos de chocolate y las nueces con una cuchara. Coloque bolitas de la masa en charolas para hornear sin engrasar, con una separación de 7.5 cm entre sí.

5. Hornee de 9 a 11 minutos o hasta que estén listas. *No hornee de más.* Deje enfriar durante 2 minutos en la charola. Retire y deje enfriar completamente.

Rinde unas 3 docenas de galletas

Galletas de Granola con Mantequilla Escocesa

1½ tazas de harina de trigo
1 cucharadita de canela
½ cucharadita de sal
½ cucharadita de polvo para hornear
½ cucharadita de bicarbonato de sodio
½ taza de mantequilla suavizada
½ taza de miel
½ taza compacta de azúcar morena
1 huevo
1 cucharadita de extracto de vainilla
¼ de taza de leche
2 tazas (360 g) de caramelos de mantequilla escocesa
1 taza de avena instantánea sin cocer
1 taza de nuez picada
¾ de taza de uvas pasa
¼ de taza de germen de trigo

MEZCLE la harina, la canela, la sal, el polvo para hornear y el bicarbonato de sodio en un recipiente pequeño. Bata la mantequilla, la miel y el azúcar morena en un recipiente grande. Agregue el huevo y el extracto de vainilla. Añada la mezcla de harina de manera alternada con la leche a la mezcla de mantequilla. Incorpore los caramelos en trocitos, la avena, la nuez, las uvas pasa y el germen de trigo. Coloque bolitas de la masa en charolas para hornear previamente engrasadas.

HORNEE a 180 °C de 8 a 10 minutos. Deje enfriar en la charola durante 2 minutos; retire de la charola y deje enfriar completamente.

Rinde unas 5 docenas de galletas (de 5 cm)

Galletas Ensueño con Chispas de Chocolate

Galletas de Chocolate con Chispas de Vainilla

1 taza (2 barras) de mantequilla o
   margarina suavizada
2 tazas de azúcar
2 huevos
2 cucharaditas de extracto de vainilla
2 tazas de harina de trigo
¾ de taza de cocoa
1 cucharadita de bicarbonato de sodio
½ cucharadita de sal
1⅔ tazas (285 g) de chispas de vainilla

Caliente el horno a 180 °C. Bata la mantequilla y el azúcar en un recipiente grande hasta obtener una consistencia cremosa. Agregue los huevos y la vainilla; bata hasta obtener una consistencia ligera y esponjosa.

Mezcle la harina, la cocoa, el bicarbonato de sodio y la sal; de manera gradual, incorpore a la mezcla de mantequilla. Añada las chispas de vainilla. Coloque bolitas de la masa en charolas para hornear sin engrasar.

Hornee de 8 a 10 minutos. (*No hornee de más; las galletas estarán suaves mientras se estén horneando y, una vez que se enfríen, se aplanarán.*) Deje enfriar ligeramente. Retire de las charolas y deje enfriar por completo.

Rinde unas 4½ docenas de galletas

Galletas de Almendras con Dobles Chispas

¾ de taza de mantequilla o margarina
   suavizada
¾ de taza compacta de azúcar morena
1 huevo
½ cucharadita de extracto de almendras
1½ tazas de harina de trigo
¼ de cucharadita de bicarbonato de sodio
   Pizca de sal
1 taza (180 g) de chispas de chocolate
   semiamargo
1 taza (180 g) de chispas de vainilla
½ taza de almendras rebanadas y
   blanqueadas

Caliente el horno a 190 °C. Cubra con papel pergamino las charolas para hornear.

Bata la mantequilla y el azúcar morena en un recipiente grande con la batidora eléctrica, hasta obtener una consistencia cremosa. Agregue el huevo y el extracto de almendras.

Mezcle la harina, el bicarbonato de sodio y la sal en un recipiente pequeño; añada a la mezcla de mantequilla. Bata las chispas de chocolate, las de vainilla y las almendras. Coloque bolitas de la masa en las charolas preparadas, con una separación de 7.5 cm entre sí. Hornee de 8 a 10 minutos o hasta que hayan dorado ligeramente. *No hornee de más.* Deje enfriar durante 2 minutos en las charolas y retire para dejar enfriar por completo.

Rinde unas 3 docenas de galletas

Galletas de Chocolate con Chispas de Vainilla

Galletas de Nuez con Chispas de Caramelo

18 caramelos, sin envoltura
1 taza de manteca vegetal
1 taza de azúcar granulada
½ taza compacta de azúcar morena
2 huevos batidos
2¾ tazas de harina de trigo
1 cucharadita de bicarbonato de sodio
1 cucharadita de sal
1 cucharadita de vainilla
½ cucharadita de agua caliente
1 taza de chispas de chocolate semiamargo
½ taza de cacahuates (maníes) sin sal, picados

1. Caliente el horno a 200 °C.

2. Corte cada caramelo en 4 piezas. Corte cada pedazo en 6 trozos.

3. Mezcle la manteca, el azúcar granulada y el azúcar morena en un recipiente grande. Bata a velocidad media hasta obtener una consistencia cremosa. Agregue los huevos.

4. Revuelva la harina, el bicarbonato de sodio y la sal. De manera gradual, incorpore a la mezcla de manteca y bata a velocidad baja. Bata junto con la vainilla y el agua caliente. Combine los caramelos, las chispas de chocolate y la nuez con una cuchara. Coloque 2 cucharadas de masa sobre una charola sin engrasar, con una separación de 7.5 cm entre sí. Forme círculos de 5 cm de diámetro y 1 cm de alto.

5. Hornee de 7 a 9 minutos o hasta que hayan dorado ligeramente. Deje enfriar durante 5 minutos sobre la charola antes de pasarlas a rejillas de alambre.

Rinde de 2 a 2½ docenas de galletas

Galletas con Trozos de Chocolate

1 taza de mantequilla suavizada
¾ de taza de azúcar granulada
¾ de taza compacta de azúcar morena
2 huevos
1½ cucharaditas de vainilla
2¼ tazas de harina de trigo
1 cucharadita de bicarbonato de sodio
½ cucharadita de sal
1 taza de nuez picada
1 barra de chocolate de leche (225 g), partida en trocitos de 1 cm

Caliente el horno a 190 °C. Bata la mantequilla, el azúcar, el azúcar morena, los huevos y la vainilla en un recipiente grande, hasta obtener una consistencia esponjosa. Agregue la harina, el bicarbonato de sodio y la sal. Bata de 1 a 2 minutos más. Agregue la nuez y el chocolate. Coloque cucharadas de masa sobre charolas para hornear sin engrasar, con una separación de 5 cm entre sí.

Hornee de 9 a 11 minutos o hasta que hayan dorado ligeramente. Deje enfriar durante 1 minuto en la charola. Retire de la charola y deje enfriar por completo.

Rinde unas 3 docenas de galletas

Galletas con Trozos de Chocolate

Galletas de Naranja con Chispas de Chocolate

1¼ tazas compactas de azúcar morena
½ taza de manteca vegetal
2 barras (de 30 g cada una) de chocolate
  semiamargo, derretido y frío
1 huevo
2 cucharadas de jugo de naranja
  concentrado
1 cucharadita de ralladura de cáscara de
  naranja
1 cucharadita de vainilla
1½ tazas de harina de trigo
¾ de cucharadita de bicarbonato de sodio
¼ de cucharadita de sal
1 taza de chispas de chocolate semiamargo
½ taza de almendras rebanadas y
  blanqueadas

1. Caliente el horno a 190 °C. Prepare hojas de papel de aluminio para enfriar las galletas.

2. Mezcle el azúcar morena, la manteca y el chocolate derretido en un recipiente grande. Bata a velocidad media con batidora eléctrica. Agregue los huevos, el jugo de naranja, la cáscara de naranja y la vainilla.

3. Combine la harina, el bicarbonato de sodio y la sal. Añada a la mezcla de manteca y bata a velocidad baja. Incorpore las chispas de chocolate y la nuez.

4. Coloque cucharadas de la masa sobre charolas para hornear sin engrasar, con una separación de 5 cm entre sí.

5. Hornee una charola a la vez a 190 °C, de 7 a 9 minutos o hasta que estén listas. *No hornee de más.* Deje enfriar durante 2 minutos en las charolas. Retire y deje enfriar completamente.
Rinde unas 3½ docenas de galletas

Galletas de Chispas y Más Chispas de Chocolate

1½ tazas de mantequilla suavizada
1 taza de azúcar granulada
1 taza compacta de azúcar morena
3 huevos
2 cucharaditas de extracto de vainilla
3⅓ tazas de harina de trigo
1½ cucharaditas de bicarbonato de sodio
¾ de cucharadita de sal
4 tazas de chispas de chocolate semiamargo

Caliente el horno a 190 °C. Bata la mantequilla, el azúcar y el azúcar morena en un recipiente grande hasta obtener una consistencia cremosa. Agregue los huevos y la vainilla; bata hasta obtener una consistencia ligera y esponjosa.

Bata juntos la harina, el bicarbonato de sodio y la sal; de manera gradual, añada a la mezcla de mantequilla. Incorpore las chispas de chocolate. Coloque cucharaditas de la masa sobre una charola para hornear.

Hornee de 8 a 10 minutos o hasta que doren ligeramente. Deje enfriar un poco. Retire de las charolas para dejar enfriar por completo.
Rinde unas 7½ docenas de galletas

De izquierda a derecha: Galletas de Naranja con Chispas de Chocolate y Galletas de Avena con Canela y Chabacano (página 14).

Grandiosas Galletas con Chispas de Chocolate

¾ de taza de manteca vegetal
1¼ tazas compactas de azúcar morena
2 cucharadas de leche
1 cucharada de vainilla
1 huevo
1¾ tazas de harina de trigo
1 cucharadita de sal
¾ de cucharadita de bicarbonato de sodio
1 taza de chispas de chocolate semiamargo
1 taza de nuez picada*
Betún (receta más adelante, opcional)

*Puede sustituir la nuez con ½ taza de chispas de chocolate semiamargo

1. Caliente el horno a 190 °C. Prepare hojas de papel de aluminio para enfriar las galletas.

2. Mezcle la manteca, el azúcar, la leche y la vainilla en un recipiente grande. Bata a velocidad media con batidora eléctrica. Agregue el huevo e incorpórelo. Combine la harina, la sal y el bicarbonato de sodio. Añada a la mezcla de manteca y bata a velocidad media. Incorpore las chispas y la nuez.

4. Coloque cucharadas abundantes de la masa sobre una charola sin engrasar, con una separación de 7.5 cm entre sí.

5. Hornee de 8 a 10 minutos para galletas chiclosas o de 11 a 13 minutos para galletas crujientes. *No hornee de más.* Deje enfriar durante 2 minutos en las charolas. Retire de las charolas y deje enfriar completamente.

Rinde unas 3 docenas de galletas

Betún: Mezcle 1 cucharadita de manteca y 1 taza de chispas de chocolate semiamargo o 1 taza de chocolate blanco derretido, previamente cortado en trocitos y derretido en el microondas a temperatura MEDIA (50%). Bata por 1 minuto hasta obtener una consistencia suave. Para derretir en la estufa, caliente en una olla a fuego muy bajo. Para un betún más delgado, agregue más manteca. Adorne las galletas con el betún. Espolvoree las nueces antes de que endurezca el betún. Para que el chocolate se endurezca rápidamente, coloque las galletas en el refrigerador.

Grandiosas Galletas Bañadas con Chocolate: Derrita el chocolate siguiendo las instrucciones para el Betún. Bañe la mitad de cada galleta con el chocolate. Espolvoree las nueces finamente picadas antes de que el chocolate endurezca. Coloque sobre papel encerado hasta que el chocolate esté firme. Para que el chocolate endurezca más rápidamente, coloque las galletas en el refrigerador.

Grandiosas Galletas con Chispas de Chocolate

Galletas con Dobles Chispas de Chocolate

2 tazas de harina de trigo
1 cucharadita de bicarbonato de sodio
½ cucharadita de sal
4 tazas de chispas de chocolate semiamargo
¾ de taza de margarina o mantequilla suavizada
¾ de taza de azúcar
2 huevos

Caliente el horno a 180 °C. Mezcle la harina, el bicarbonato de sodio y la sal.

Coloque 2 tazas de chispas de chocolate en un recipiente mediano para microondas. Hornee en el microondas durante 1½ minutos a temperatura ALTA. Bata bien y vuelva a hornear durante 30 segundos más a temperatura ALTA, hasta que las chispas estén derretidas y tengan una consistencia suave. Deje enfriar ligeramente.

Bata la mantequilla y el azúcar en un recipiente grande hasta obtener una consistencia ligera y cremosa. Agregue los huevos y bata bien. Incorpore el chocolate derretido. De manera gradual, añada la mezcla de harina a la de chocolate; bata bien. Incorpore las chispas restantes. Coloque cucharaditas de la masa en charolas para galletas sin engrasar.

Hornee de 8 a 9 minutos. *No hornee de más.* Las galletas deberán estar suaves. Deje enfriar ligeramente. Retire de la charola y deje enfriar por completo. *Rinde unas 5 docenas de galletas*

Galletas de Chispas de Chocolate con Avena

1 lata (600 g) de trozos de piña en almíbar
1½ tazas de azúcar morena
1 taza de margarina suavizada
1 huevo
¼ de cucharadita de extracto de almendras
4 tazas de avena sin cocer
2 tazas de harina
1 cucharadita de polvo para hornear
1 cucharadita de sal
1 cucharadita de canela molida
½ cucharadita de nuez moscada molida
2 tazas de coco rallado
1 paquete (360 g) de chispas de chocolate semiamargo
¾ de taza de almendras rebanadas y tostadas

• Caliente el horno a 180 °C. Engrase charolas para galletas. Escurra la piña y reserve ½ taza de almíbar.

• Bata el azúcar morena y la margarina hasta obtener una consistencia ligera y esponjosa. Agregue el huevo y bata bien. Añada la piña, el almíbar reservado y el extracto de almendras.

• En un recipiente grande, mezcle la avena, la harina, el polvo para hornear, la sal, la canela y la nuez moscada. Agregue a la mezcla de margarina y bata muy bien. Incorpore el coco, las chispas de chocolate y las almendras. Coloque cucharadas abundantes sobre las charolas preparadas. Aplane ligeramente con la parte posterior de una cuchara. Hornee de 20 a 25 minutos o hasta que hayan dorado. Retire de las charolas y deje enfriar. *Rinde unas 5 docenas de galletas*

De arriba abajo: Galletas con Dobles Chispas de Chocolate y Galletas Olvidadas (página 54)

Galletas Americanas con Chispas de Chocolate

1 taza (2 barras) de mantequilla suavizada
¾ de taza de azúcar granulada
¾ de taza compacta de azúcar morena
1 cucharadita de extracto de vainilla
2 huevos
2¼ tazas de harina de trigo
1 cucharadita de bicarbonato de sodio
½ cucharadita de sal
2 tazas (360 g) de chispas de chocolate semiamargo

Caliente el horno a 190 °C. Bata la mantequilla, el azúcar, el azúcar morena y la vainilla en un recipiente grande hasta obtener una consistencia cremosa. Agregue los huevos y bata bien.

Mezcle la harina, el bicarbonato de sodio y la sal; de manera gradual, agregue a la mezcla de mantequilla; bata bien. Incorpore las chispas de chocolate. Coloque cucharaditas abundantes en una charola sin engrasar. Hornee de 8 a 10 minutos o hasta que hayan dorado un poco. Deje enfriar ligeramente. Retire de las charolas y deje enfriar por completo.

Rinde unas 6 docenas de galletas

Galletas Americanas en Barra con Chispas de Chocolate: Distribuya la masa en un refractario de 40×26×2.5 cm. Hornee a 190 °C durante 20 minutos o hasta que haya dorado un poco. Deje enfriar completamente en el refractario. Corte en forma de barras. Rinde unas 4 docenas de barras.

Galletas de Chispas de Chocolate con Granola: Omita 1 taza de chispas de chocolate semiamargo y la nuez; reemplace con 1 taza de barras de granola finamente picada. Coloque en la charola para galletas y hornee según las instrucciones.

Sándwiches de Nieve con Galletas Americanas: Prepare las galletas según las instrucciones. Coloque una bolita de helado entre la parte plana de dos galletas. Presiónelas un poco. Envuelva y congele.

Galletas Gigantes de Crema de Cacahuate

½ taza de mantequilla suavizada
1 taza compacta de azúcar morena
1 taza de azúcar granulada
1½ tazas de crema de cacahuate (maní)
3 huevos
2 cucharaditas de bicarbonato de sodio
1 cucharadita de vainilla
4½ tazas de avena sin cocer
1 taza (180 g) de chispas de chocolate semiamargo
1 taza de chocolate confitado

Caliente el horno a 180 °C. Engrase una charola para galletas o cúbrala con papel pergamino. Bata la mantequilla, el azúcar, el azúcar morena, la crema de cacahuate y los huevos. Combine el bicarbonato de sodio, la vainilla y la avena. Agregue las chispas de chocolate y los chocolates confitados. Sobre la charola, coloque aproximadamente ⅓ de taza de la masa para cada galleta, a 10 cm de distancia entre sí. Presione un poco cada galleta. Hornee de 15 a 20 minutos o hasta que el centro esté firme. Retire de las charolas y deje enfriar por completo.

Rinde alrededor de 1½ docenas de galletas

De arriba abajo: Besos de Cocoa (página 154) y Galletas Americanas con Chispas de Chocolate.

Rápidas

Galletas en un Parpadeo

Crujientes de Chocolate

2 tazas de harina de trigo
2 cucharaditas de polvo para hornear
2 tazas de azúcar granulada
½ taza de margarina o mantequilla
4 tablillas (de 30 g cada una) de chocolate para hornear sin endulzar, picado
4 huevos grandes ligeramente batidos
2 cucharaditas de extracto de vainilla
1⅓ tazas de chocolates confitados miniatura
Azúcar granulada adicional

Mezcle la harina y el polvo para hornear. En una sartén de 2 litros, a fuego medio, caliente 2 tazas de azúcar, la mantequilla y el chocolate; mueva hasta que la mantequilla y el chocolate se hayan derretido; retire del fuego. Gradualmente, agregue los huevos y la vainilla; bata bien. Añada la mezcla de harina y bata bien. Refrigere la mezcla durante 1 hora. Incorpore los chocolates confitados y refrigere durante 1 hora más.

Caliente el horno a 180 °C. Cubra la charola con papel de aluminio. Ponga azúcar en sus manos y forme bolitas de 2.5 cm; espolvoree las bolitas con más azúcar. Coloque las bolitas sobre la charola para hornear, con una separación de 5 cm entre sí. Hornee de 10 a 12 minutos. *No hornee de más.* Deje enfriar completamente y guarde en un recipiente hermético.

Rinde unas 5 docenas de galletas

Crujientes de Chocolate

Galletas Favoritas de Elvis con Mantequilla de Cacahuate

GALLETAS

- 1¼ tazas compactas de azúcar morena
- ¾ de taza de crema de cacahuate (maní)
- 1 taza de puré de plátano (banana)
- ½ taza de manteca vegetal
- 3 cucharadas de leche
- 1½ cucharaditas de vainilla
- 1 huevo
- 2 tazas de harina de trigo
- ¾ de cucharadita de bicarbonato de sodio
- ¾ de cucharadita de sal
- 1½ tazas de chispas de chocolate semiamargo o trozos de chocolate de leche
- 1 taza de nuez picada

BETÚN

- 2 cucharadas de manteca vegetal
- 1½ tazas de malvaviscos miniatura
- ¼ de taza de crema de cacahuate (maní)
- ½ cucharadita de vainilla
- 1¼ tazas de azúcar glass
- Agua caliente
- 1 taza de chispas de crema de cacahuate (maní)

1. Caliente el horno a 180 °C. Prepare hojas de papel de aluminio para enfriar las galletas.

2. Para las Galletas, coloque el azúcar morena, la crema de cacahuate, el plátano, la manteca, la leche y la vainilla en un recipiente grande. Bata a velocidad media con batidora eléctrica. Agregue el huevo y bata bien.

3. Mezcle la harina, el bicarbonato de sodio y la sal. Añada a la mezcla de manteca. Bata a velocidad baja. Incorpore las chispas y la nuez.

4. Coloque cucharadas de la masa sobre charolas sin engrasar, con una separación de 5 cm entre sí.

5. Hornee una charola a la vez de 11 a 13 minutos o hasta que las orillas de las galletas estén ligeramente doradas. *No hornee de más.* Deje enfriar durante 2 minutos sobre la charola. Retire las galletas de la charola y deje enfriar por completo.

6. Para el Betún, derrita 2 cucharadas de manteca en una sartén mediana a fuego bajo. Incorpore los malvaviscos y la crema de cacahuate. Caliente hasta que se hayan derretido; mueva constantemente. Retire del fuego y agregue la vainilla.

7. Ponga el azúcar glass en un recipiente mediano. Agregue la mezcla de malvavisco y 1 cucharada de agua caliente a la vez; bata hasta obtener la consistencia deseada. Bañe las galletas con el betún. Coloque encima chispas de crema de cacahuate. *Rinde unas 4 docenas de galletas*

Galletas Favoritas de Elvis con Mantequilla de Cacahuate

Galletas de Avena y Trigo Integral

1 taza de harina de trigo integral
1 cucharadita de canela molida
1 cucharadita de polvo para hornear
½ cucharadita de bicarbonato de sodio
½ cucharadita de sal
1 taza compacta de azúcar morena
¼ de taza de puré de manzana sin endulzar
2 claras de huevo
2 cucharadas de margarina
1½ cucharaditas de vainilla
1⅓ tazas de avena tradicional o rápida, sin cocer
½ taza de uvas pasa

Caliente el horno a 190 °C. Engrase las charolas para galletas con aceite en aerosol.

Mezcle la harina, la canela, el polvo para hornear, el bicarbonato de sodio y la sal en un recipiente mediano. Combine el azúcar morena, el puré de manzana, las claras de huevo, la margarina y la vainilla en un recipiente grande. Mezcle hasta que se formen grumos pequeños. Agregue a la mezcla de harina. Incorpore la avena y las uvas pasa.

Coloque cucharaditas abundantes de la masa en las charolas previamente preparadas, a 5 cm de separación. Hornee de 10 a 12 minutos o hasta que hayan dorado ligeramente. Retire de las charolas y deje enfriar por completo.

Rinde 3½ docenas de galletas

Galletas con Besos

¾ de taza de azúcar
⅓ de taza de mantequilla o margarina suavizada
1 paquete (90 g) de queso crema suavizada
1 yema de huevo
2 cucharaditas de extracto de almendras
2 cucharaditas de jugo de naranja
1¼ tazas de harina de trigo
2 cucharaditas de polvo para hornear
¼ de cucharadita de sal
1 paquete (400 g) de coco rallado
1 bolsa (250 g) de besos de chocolate de leche

En un recipiente grande, bata el azúcar, la mantequilla y el queso crema. Agregue la yema de huevo, el extracto de almendras y el jugo de naranja; mezcle bien. Combine la harina, el polvo para hornear y la sal; agregue gradualmente a la mezcla de mantequilla. Incorpore 3 tazas de coco. Cubra y refrigere durante 1 hora o hasta que esté lo suficientemente firme como para manipularla.

Caliente el horno a 180 °C. Haga bolitas de masa de 2.5 cm y ruédelas sobre el coco. Coloque las bolitas sobre charolas sin engrasar. Hornee de 10 a 12 minutos o hasta que hayan dorado ligeramente. Mientras tanto, retire las envolturas de los chocolates. Saque las galletas del horno e inmediatamente coloque un chocolate en el centro de cada galleta. Deje enfriar durante 1 minuto. Con cuidado, retire las galletas de la charola y deje enfriar por completo.

Rinde unas 4½ docenas de galletas

Galletas de Avena y Trigo Integral

Galletas con Cereza

2¼ tazas de harina de trigo
2 cucharaditas de polvo para hornear
½ cucharadita de sal
¾ de taza de margarina suavizada
1 taza de azúcar
2 huevos
2 cucharadas de leche descremada
1 cucharadita de vainilla
1 taza de nuez picada
1 taza de dátil sin hueso, picado
⅓ de taza de cereza finamente picada
2⅔ tazas de hojuelas de maíz molidas, para
    obtener 1⅓ tazas
Aceite en aerosol
15 cerezas cortadas en cuartos

1. Caliente el horno a 180 °C. Mezcle la harina, el polvo para hornear y la sal.

2. En un recipiente grande, bata la margarina y el azúcar hasta obtener una consistencia ligera y esponjosa. Agregue los huevos y bata bien. Vierta la leche y la vainilla. Incorpore a la mezcla de harina; mezcle bien. Ponga las nueces, los dátiles y ⅓ de taza de cerezas.

3. Haga bolitas con la masa y ruédelas sobre las hojuelas molidas. Coloque sobre charolas previamente engrasadas y adorne con un cuarto de cereza.

4. Hornee durante unos 10 minutos o hasta que hayan dorado ligeramente.

Rinde 5 docenas de galletas

Galletas Olvidadas

2 claras de huevo
⅛ de cucharadita de cremor tártaro
⅛ de cucharadita de sal
⅔ de taza de azúcar
1 cucharadita de extracto de vainilla
1 taza de chispas de chocolate semiamargo
    o de chocolate de leche

Caliente el horno a 190 °C. Engrase ligeramente las charolas. En un recipiente pequeño, bata a punto de turrón las claras de huevo con el cremor tártaro y la sal. Poco a poco, agregue el azúcar; bata hasta que se formen picos rígidos. Con cuidado, incorpore el extracto de vainilla y las chispas de chocolate. Coloque cucharaditas de la masa sobre las charolas previamente engrasadas. Meta las charolas en el horno caliente; inmediatamente, apague el horno y deje dentro las galletas durante seis horas o por toda la noche sin abrir el horno. Retire las galletas de las charolas; guárdelas en un recipiente hermético en un lugar seco.

Rinde unas 2½ docenas de galletas

Galletas de Cacahuate sin Hornear

2 tazas de crema de cacahuate (maní)
2 tazas de galletas de trigo entero molidas
1 taza de azúcar glass
½ taza de jarabe de maíz, claro u oscuro
¼ de taza de chispas de chocolate
    semiamargo derretidas
Granillo de colores (opcional)

1. En un recipiente grande, mezcle la crema de cacahuate, las galletas molidas, el azúcar glass y el jarabe de maíz, hasta suavizar.

2. Forme bolitas de 2.5 cm. Coloque sobre charolas cubiertas con papel encerado.

3. Bañe las bolitas con chocolate derretido y espolvoree el granillo, si lo desea. Guarde en un recipiente con tapa en el refrigerador.

Rinde unas 5 docenas de galletas

Galletas de Mantequilla con Doble Almendra

MASA

2 tazas de mantequilla suavizada
2½ tazas de azúcar glass
4 tazas de harina de trigo
2 cucharaditas de vainilla

RELLENO

⅔ de taza de pasta de almendras blanqueadas
¼ de taza de azúcar morena
½ taza de almendras tostadas y picadas
¼ de cucharadita de vainilla

Para la Masa, bata la mantequilla y 1 taza de azúcar glass. De manera gradual, agregue la harina. Añada 2 cucharaditas de vainilla y bata bien. Refrigere la masa durante ½ hora.

Para el Relleno, mezcle la pasta de almendras, el azúcar morena, las almendras y ¼ de cucharadita de vainilla.

Caliente el horno a 180 °C. Forme bolitas de 2.5 cm y colóquelas sobre charolas sin engrasar.

Hornee durante 15 minutos y retire de las charolas. Deje enfriar y espolvoree con 1½ tazas de azúcar glass.

Rinde unas 8 docenas de galletas

Galletas con Cereza y Nuez

1 taza de mantequilla o margarina suavizada
¾ de taza de azúcar granulada
¾ de taza de azúcar morena
2 huevos
1 cucharadita de extracto de vainilla
2¼ tazas de harina de trigo
1 cucharadita de bicarbonato de sodio
1 paquete (285 g) de chispas de vainilla (alrededor de 1⅔ tazas)
1½ tazas de cerezas deshidratadas
1 taza de nueces con sal, en trozos

Caliente el horno a 190 °C.

Bata la mantequilla, el azúcar, el azúcar morena, los huevos y la vainilla en un recipiente grande, hasta obtener una consistencia esponjosa. Mezcle la harina y el bicarbonato de sodio en un recipiente mediano; gradualmente, incorpore la mezcla de harina a la de mantequilla. Agregue las chispas de chocolate, las cerezas y la nuez. Coloque cucharadas de la masa sobre charolas sin engrasar.

Hornee de 12 a 15 minutos o hasta que hayan dorado un poco. Deje enfriar por completo y guarde en un recipiente hermético.

Rinde 4½ docenas de galletas

Galletas de Chocolate, Plátano y Nuez

½ taza (1 barra) de mantequilla o margarina
   suavizada
½ taza de manteca vegetal
1¼ tazas de azúcar morena
1 huevo grande
1 plátano (banana) mediano hecho puré
   (aproximadamente ½ taza)
2¼ tazas de harina de trigo
1 cucharadita de bicarbonato de sodio
1 cucharadita de canela molida
½ cucharadita de nuez moscada molida
¼ de cucharadita de sal
2 tazas de avena instantánea o tradicional,
   sin cocer
1 taza de nueces picadas
1¾ tazas de chocolates confitados miniatura

Caliente el horno a 180 °C. En un recipiente
grande, bata la mantequilla, la manteca y el
azúcar hasta obtener una consistencia ligera y
esponjosa; agregue el plátano y el huevo. En un
recipiente mediano, mezcle la harina, el
bicarbonato de sodio, la canela, la nuez moscada
y la sal; bata hasta obtener una consistencia
cremosa. Añada la avena y las nueces. Incorpore
los chocolates confitados. Coloque cucharadas de
la masa en charolas sin engrasar, con una
separación de 5 cm entre sí. Hornee de 8 a
10 minutos. *No hornee de más.* Deje enfriar
durante 1 minuto en las charolas; retire y deje
enfriar por completo. Guarde en recipientes
herméticos.   *Rinde unas 3 docenas de galletas*

Galletas de Queso Crema

½ taza de manteca vegetal
1 paquete (90 g) de queso crema suavizado
1 cucharada de leche
1 taza de azúcar
½ cucharadita de vainilla
1 taza de harina de trigo
½ taza de nuez picada

1. Caliente el horno a 190 °C. Prepare hojas de
papel de aluminio para enfriar las galletas.

2. Mezcle la manteca, el queso crema y la leche
en un recipiente mediano. Bata a velocidad
media con batidora eléctrica. Agregue el azúcar y
la vainilla. Mezcle bien. Incorpore la harina y la
nuez.

3. Coloque cucharadas de la masa en charolas sin
engrasar, con una separación de 5 cm entre sí.

4. Hornee, una charola a la vez, durante
10 minutos. *No hornee de más.* Deje enfriar por
2 minutos en la charola. Retire de la charola y
deje enfriar completamente.
          Rinde unas 3 docenas de galletas

Variante con limón o naranja: Agregue
½ cucharadita de ralladura de cáscara de limón o
de naranja a la masa. Proceda según las
instrucciones.

Galletas de Chocolate, Plátano y Nuez

Galletas de Naranja

GALLETAS

1 paquete de harina preparada para galletas de azúcar
1 huevo
1 cucharada de jugo de naranja
½ cucharadita de ralladura de cáscara de naranja
¾ de taza de coco rallado
½ taza de nuez picada

GLASEADO

1 taza de azúcar glass
2 cucharaditas de jugo de limón
2 cucharaditas de jugo de naranja
1 cucharadita de ralladura de cáscara de naranja

1. Caliente el horno a 190 °C.

2. Para las Galletas, mezcle la harina preparada, el huevo, 1 cucharada de jugo de naranja y ½ cucharadita de cáscara de naranja en un recipiente grande. Bata con una cuchara hasta suavizar. Agregue el coco y las nueces. Coloque cucharaditas de masa en charolas sin engrasar, con una separación de 5 cm entre sí. Hornee de 7 a 8 minutos o hasta que estén listas. Deje enfriar durante 1 minuto sobre la charola. Retire y deje enfriar completamente.

3. Para el Glaseado, mezcle el azúcar glass, el jugo de limón, 2 cucharaditas de jugo de naranja y 1 cucharadita de cáscara de naranja en un recipiente pequeño. Bata bien. Adorne las galletas. Deje secar el glaseado antes de guardar las galletas entre hojas de papel encerado dentro de un recipiente hermético.

Rinde unas 3 docenas de galletas

Galletas de Granola con Chocolate y Naranja

1 taza de harina de trigo
½ cucharadita de polvo para hornear
½ cucharadita de especias mixtas (allspice)
½ cucharadita de sal
⅔ de taza de azúcar morena
½ taza de mantequilla suavizada
1 huevo
1 cucharadita de extracto de vainilla
½ cucharadita de ralladura de cáscara de naranja
1¼ tazas de cereal de granola
1 taza de chocolate semiamargo en trozos
½ taza de coco rallado
¼ de taza de nuez picada

MEZCLE la harina, el polvo para hornear, las especias mixtas y la sal en un recipiente pequeño.

BATA el azúcar morena y la mantequilla en un recipiente grande. Agregue el huevo, el extracto de vainilla y la ralladura de naranja. Gradualmente, incorpore la mezcla de harina; bata bien. Añada el cereal de granola, el chocolate, el coco y las nueces. Coloque cucharadas de la masa en charolas sin engrasar. Espolvoree con coco adicional, si lo desea.

HORNEE a 180 °C de 9 a 11 minutos. Deje enfriar en la charola durante 2 minutos. Retire de la charola y deje enfriar por completo.

Rinde alrededor de 1½ docenas de galletas (de 5 cm)

Galletas de Naranja

Devastadores

BROWNIES

Brownies Rápidos y Fáciles

4 barras (de 30 g cada una) de chocolate
    amargo en trozos
¾ de taza (1½ barras) de margarina o
    mantequilla
2 tazas de azúcar
3 huevos
1½ cucharadita de extracto de vainilla
1 taza de harina de trigo
1 taza de nuez picada (opcional)
    Betún de Chocolate Rápido y Fácil
    (receta más adelante)

Caliente el horno a 180 °C. Engrase una charola de 33×23×5 cm. Coloque el chocolate y la mantequilla en un recipiente grande para microondas. Hornee en el microondas a temperatura ALTA por 1½ o 2 minutos o hasta que el chocolate se derrita. Bata hasta obtener una consistencia suave. Agregue el azúcar y mezcle con una cuchara. Añada el huevo y la vainilla. Incorpore la harina y la nuez, si lo desea; mezcle bien. Coloque en la charola previamente preparada y hornee de 30 a 35 minutos o hasta que, al insertar en el centro un palillo, éste salga casi limpio. Deje enfriar en la charola. Unte el Betún de Chocolate Rápido y Fácil, si lo desea. Corte en cuadros. *Rinde unos 24 brownies*

Betún de Chocolate Rápido y Fácil

3 barras (de 30 g cada una) de chocolate
    amargo en trozos
1 taza de malvaviscos miniatura
½ taza (1 barra) de mantequilla o margarina
    suavizada
⅓ de taza de leche
2½ tazas de azúcar glass
½ cucharadita de extracto de vainilla

Derrita el chocolate a fuego medio en una sartén mediana; mueva constantemente. Agregue los malvaviscos y mueva hasta que se derritan por completo. (La mezcla va estar muy espesa y se va a separar de la sartén.) Vierta la mezcla en un recipiente pequeño y añada la mantequilla. Poco a poco, incorpore la leche; bata hasta obtener una consistencia suave. Ponga el azúcar y la vainilla, y bata hasta conseguir la consistencia deseada.

Rinde unas 2¼ tazas de betún

Brownies Rápidos y Fáciles

Deliciosos Brownies Claros

1½ tazas de harina de trigo
1 cucharadita de polvo para hornear
½ cucharadita de sal
½ taza de mantequilla suavizada
¾ de taza de azúcar granulada
¾ de taza de azúcar morena
2 huevos
2 cucharaditas de vainilla
1 paquete (285 g) de trozos de chocolate semiamargo*
1 frasco (90 g) de nueces de macadamia, picadas para obtener ¾ de taza

*Si no encuentra trozos de chocolate, corte una barra de 285 g en trozos de 1 cm hasta obtener 1½ tazas.

Caliente el horno a 180 °C. Engrase un refractario de 33×23 cm. En un recipiente pequeño, mezcle la harina, el polvo para hornear y la sal.

Bata la mantequilla, el azúcar y el azúcar morena en un recipiente grande, con la batidora a velocidad media, hasta obtener una consistencia ligera y esponjosa. Agregue los huevos y la vainilla; bata bien. Añada la mezcla de harina y bata a velocidad baja. Incorpore el chocolate y la nuez de macadamia; mezcle con una cuchara. Distribuya la masa de manera uniforme en el refractario previamente preparado.

Hornee de 25 a 30 minutos o hasta que estén dorados. Deje enfriar y corte en barras de 8×4 cm.   *Rinde 2 docenas de brownies*

Brownies Agridulces

Aceite en aerosol
4 barras (de 30 g cada una) de chocolate amargo derretido
1 taza de azúcar
½ taza de mayonesa light
2 huevos
1 cucharadita de vainilla
¾ de taza de harina
½ cucharadita de polvo para hornear
¼ de cucharadita de sal
½ taza de nuez picada

1. Caliente el horno a 180 °C. Engrase un molde de 20×20×5 cm con aceite en aerosol.

2. En un recipiente grande, bata el chocolate, el azúcar, la mayonesa, los huevos y la vainilla hasta obtener una consistencia suave. Agregue la harina, el polvo para hornear y la sal; mezcle muy bien. Incorpore la nuez. Distribuya de manera uniforme en el molde previamente preparado.

3. Hornee de 25 a 30 minutos o hasta que, al insertar en el centro un palillo, éste salga limpio. Deje enfriar completamente. Corte en cuadros de 2.5 cm.   *Rinde 16 brownies*

Deliciosos Brownies Claros

Bamboozlers

    1 taza de harina de trigo
    ¾ de taza de azúcar morena
    ¼ de taza de cocoa sin endulzar
    1 huevo
    2 claras de huevo
    5 cucharadas de margarina derretida
    ¼ de taza de leche descremada
    ¼ de taza de miel
    1 cucharadita de vainilla
    2 cucharadas de chispas de chocolate
        semiamargo
    2 cucharadas de nuez picada
        Azúcar glass (opcional)

1. Caliente el horno a 180 °C. Engrase un molde cuadrado de 20 cm.

2. Mezcle la harina, el azúcar morena y la cocoa. Bata el huevo, las claras de huevo, la margarina, la leche, la miel y la vainilla en un recipiente. Agregue a la mezcla de harina y mezcle bien. Vierta en el molde previamente preparado; espolvoree las chispas de chocolate y la nuez.

3. Hornee durante 30 minutos o hasta que, al tocar el centro, el pan se sienta esponjoso. Deje enfriar completamente. Espolvoree azúcar glass antes de servir.   *Rinde 12 brownies*

Bamboozlers de Cacahuate: Sustituya las chispas de chocolate por chispas de crema de cacahuate, y las nueces, por cacahuates.

Miniaturas de Mantequilla Escocesa: Sustituya las chispas de chocolate y los cacahuates por chispas de mantequilla escocesa y nueces, respectivamente.

Brownie Sundaes: Sirva los brownies y agregue una bola de helado de vainilla y 2 cucharadas de jarabe de caramelo o de chocolate.

Brownies Glaseados

    1¼ tazas de harina de trigo para bisquets
    1 taza de azúcar
    ½ taza de cocoa
    ½ taza de mantequilla o margarina derretida
    2 huevo
    1 cucharadita de extracto de vainilla
    1 taza de chispas de chocolate semiamargo
        Glaseado Rápido de Vainilla (receta más
        adelante)

Caliente el horno a 180 °C. Engrase un molde cuadrado de 20 o 23 cm. En un recipiente mediano, mezcle la harina preparada, el azúcar y la cocoa; mezcle con cuchara o tenedor hasta que se incorporen. Agregue la mantequilla, los huevos y la vainilla; revuelva bien. Añada las chispas de chocolate. Coloque en el molde previamente preparado.

Hornee de 25 a 30 minutos o hasta que, al insertar en el centro un palillo, éste salga limpio. Deje enfriar completamente. Adorne con el Glaseado Rápido de Vainilla cuando los brownies estén fríos. Corte en cuadros.

Rinde unos 20 brownies

Glaseado Rápido de Vainilla: En un recipiente pequeño, combine ½ taza de azúcar glass, 1 cucharada de agua y ¼ de cucharadita de extracto de vainilla; mezcle bien.

Bamboozlers

Brownies Irlandeses

4 barras (de 30 g cada una) de chocolate
  semiamargo en trozos
½ taza de mantequilla
½ taza de azúcar
2 huevos
¼ de taza de licor de crema irlandesa
1 taza de harina de trigo
½ cucharadita de polvo para hornear
¼ de cucharadita de sal
  Betún de Crema Irlandesa (receta más
  adelante)

Caliente el horno a 180 °C. Engrase un molde
cuadrado de 20 cm. Derrita el chocolate y la
mantequilla, a fuego bajo; mueva
constantemente. Agregue el azúcar. Bata los
huevos, 1 a la vez. Vierta la crema irlandesa.
Mezcle la harina, el polvo para hornear y la sal;
añada a la sartén. Mezcle bien. Distribuya la pasta
en el molde previamente preparado.

Hornee de 22 a 25 minutos o hasta que el centro
esté listo. Deje enfriar completamente antes de
poner el betún. Prepare el Betún de Crema
Irlandesa. Unte el betún sobre los brownies.
Refrigere durante 1 hora por lo menos o hasta
que el betún esté firme. Corte en cuadros de
5 cm.   *Rinde unos 16 brownies*

Betún de Crema Irlandesa

60 g (¼ de taza) de queso crema suavizado
2 cucharadas de mantequilla suavizada
2 cucharadas de licor de crema irlandesa
1½ tazas de azúcar glass

Bata el queso crema y la mantequilla en un
recipiente pequeño, con la batidora eléctrica a
velocidad media, hasta obtener una consistencia
cremosa. Agregue la crema irlandesa. De manera
gradual, añada el azúcar hasta obtener una
consistencia suave. Rinde alrededor de ⅔ de taza
de betún.

Brownies Claros con Trozos de Chocolate

½ taza (1 barra) de margarina o mantequilla
  suavizada
1 taza de azúcar morena
1 taza de azúcar granulada
4 huevos
2 cucharaditas de vainilla
2 tazas de harina de trigo
1 cucharadita de polvo para hornear
¼ de cucharadita de sal
1 paquete (225 g) de chocolate semiamargo
  en trozos
1 taza de nueces picadas

CALIENTE el horno a 180 °C.

BATA la margarina, el azúcar, el azúcar morena,
los huevos y la vainilla hasta obtener una
consistencia ligera y esponjosa. Agregue la
harina, el bicarbonato de sodio y la sal; bata hasta
que todo se incorpore bien. Añada el chocolate y
las nueces. Vierta en un molde de 33×23 cm.

HORNEE durante 30 minutos o hasta que, al
insertar en el centro un palillo, éste salga con
grumos húmedos. No hornee de más. Deje enfriar
en el molde; corte en cuadros.

Rinde unos 24 brownies

Tiempo de Preparación: 20 minutos

Brownies Irlandeses

Brownies Miniatura

¼ de taza de manteca vegetal
2 claras de huevo
1 huevo
¾ de taza de azúcar
⅔ de taza de harina de trigo
⅓ de taza de cocoa
½ cucharadita de polvo para hornear
¼ de cucharadita de sal
    Glaseado de Moka (receta más adelante)

Caliente el horno a 180 °C. Prepare con papel 24 moldes para muffin (de 4.5 cm) o rocíelos con aceite en aerosol. Derrita la manteca en una sartén a fuego bajo; deje enfriar un poco. Bata las claras de huevo y el huevo en un recipiente pequeño, hasta obtener una consistencia espumosa. De manera gradual, agregue el azúcar; bata hasta que espese un poco y tenga un color claro. Añada la harina, la cocoa, el polvo para hornear y la sal. Poco a poco, ponga la manteca; bata hasta mezclar. Rellene las ⅔ partes de cada molde. Hornee de 15 a 18 minutos o hasta que, al insertar en el centro un palillo, éste salga limpio. Deje enfriar completamente. Prepare el Glaseado de Moka y adorne los brownies. Deje reposar hasta que el glaseado esté firme.

Rinde 24 brownies

Glaseado de Moka

¼ de taza de azúcar glass
¾ de cucharadita de cocoa
¼ de cucharadita de café instantáneo
2 cucharaditas de agua caliente
¼ de cucharadita de extracto de vainilla

Mezcle el azúcar glass y la cocoa en un recipiente pequeño. Disuelva el café en el agua y agréguelo gradualmente a la mezcla de azúcar; revuelva bien. Añada la vainilla.

Brownies de Almendra con Chocolate Blanco

360 g de chocolate blanco en trozos
1 taza de mantequilla sin sal
3 huevos
¾ de taza de harina de trigo
1 cucharadita de vainilla
½ taza de almendras rebanadas

Caliente el horno a 160 °C. Engrase y enharine un molde cuadrado de 23 cm.

Derrita el chocolate y la mantequilla en una sartén grande y pesada, a fuego bajo; mueva constantemente. (El chocolate blanco pudiera separarse.) Retire del fuego cuando el chocolate se haya derretido. Agregue los huevos y bata con batidora eléctrica hasta obtener una consistencia suave. Añada la harina de trigo y la vainilla. Distribuya de manera uniforme en el molde previamente preparado. Espolvoree encima las almendras.

Hornee de 30 a 35 minutos o hasta que esté listo. Deje enfriar completamente. Corte en cuadros de 5 cm.

Rinde unos 16 brownies

Brownies de Capuchino y Naranja

¾ de taza de mantequilla
2 tablillas (de 30 g cada una) de chocolate semiamargo en trozos
2 tablillas (de 30 g cada una) de chocolate amargo en trozos
1¾ tazas de azúcar
1 cucharada de café instantáneo exprés o regular
3 huevos
¼ de taza de licor de naranja
2 cucharaditas de ralladura de cáscara de naranja
1 taza de harina de trigo
1 paquete (360 g) de chispas de chocolate semiamargo
2 cucharadas de manteca

Caliente el horno a 180 °C. Engrase un molde de 33×23 cm.

Derrita la mantequilla y los trozos de chocolate en una sartén grande, a fuego bajo, moviendo constantemente. Agregue el azúcar y el café exprés. Retire del fuego. Deje enfriar y añada los huevos, 1 a la vez; bata bien. Vierta el licor y la ralladura de naranja. Bata bien e incorpore la harina de trigo a la mezcla de chocolate; mezcle bien. Distribuya la masa de manera uniforme en el molde previamente preparado.

Hornee de 25 a 30 minutos o hasta que el centro esté listo. Retire de horno y deje enfriar. Mientras tanto, derrita las chispas de chocolate y la manteca en una sartén pequeña, a fuego bajo, moviendo constantemente. De inmediato, unte la mezcla sobre los brownies tibios. Deje enfriar por completo y corte en cuadros de 5 cm.

Rinde unas 2 docenas de brownies

Brownies con Cubierta de Nuez

CAPA DE BROWNIE

4 tablillas de chocolate amargo
¾ de taza (1½ barras) de margarina
2 tazas de azúcar granulada
4 huevos
1 cucharadita de vainilla
1 taza de harina de trigo

CUBIERTA DE NUEZ

¼ de taza (½ barra) de margarina
¾ de taza compacta de azúcar morena
2 huevos
2 cucharadas de harina de trigo
1 cucharadita de vainilla
4 tazas de nueces picadas

Caliente el horno a 180 °C. En un recipiente para microondas, derrita el chocolate amargo con ¾ de taza de margarina, a temperatura ALTA, por 2 minutos o hasta que la margarina se derrita. Bata hasta que el chocolate esté completamente fundido. Incorpore el azúcar al chocolate fundido. Mezcle 4 huevos y 1 cucharadita de vainilla. Agregue 1 taza de harina y mezcle bien. Vierta en un molde engrasado de 33×23 cm. Coloque ¼ de taza de margarina y el azúcar morena en un recipiente para microondas, a temperatura ALTA, por 1 minuto o hasta que la margarina se derrita. Agregue 2 huevos, 2 cucharadas de harina y 1 cucharadita de vainilla; mezcle. Añada la nuez y mezcle. Vierta la mezcla sobre la masa de brownie. Hornee durante 45 minutos o hasta que, al insertar en el centro un palillo, éste salga con grumos. *No hornee de más.* Deje enfriar en el molde. Corte en cuadros.

Rinde unos 24 brownies

Brownies Praliné

BROWNIES

1 paquete de harina preparada para brownies
2 huevos
⅓ de taza de agua
⅓ de taza de aceite de canola o vegetal
¾ de taza de nueces picadas

CUBIERTA

¾ de taza de azúcar morena
¾ de taza de nueces picadas
¼ de taza de margarina o mantequilla derretida
2 cucharadas de leche
½ cucharadita de extracto de vainilla

1. Caliente el horno a 180 °C. Engrase un molde cuadrado de 23 cm.

2. Para hacer los brownies, combine la harina para brownie, los huevos, el agua, el aceite y ¾ de taza de nueces en un recipiente grande. Bata con un tenedor hasta mezclar bien, aproximadamente 50 vueltas. Vierta en el molde previamente preparado. Hornee a 180 °C de 35 a 40 minutos. Retire del horno.

Para la cubierta, mezcle el azúcar morena, ¾ de taza de nueces, la mantequilla derretida, la leche y el extracto de vainilla en un recipiente mediano. Bata con una cuchara. Unte sobre los brownies calientes y vuelva a meter al horno. Hornee durante 15 minutos o hasta que la cubierta esté lista. Deje enfriar completamente. Corte en barras.   *Rinde unos 16 brownies*

Brownies Celestiales Oscuros

½ taza de jarabe de maíz, claro u oscuro
½ taza de margarina o mantequilla
5 tablillas (de 30 g cada una) de chocolate semiamargo
¾ de taza de azúcar
3 huevos
1 cucharadita de vainilla
1 taza de harina de trigo
1 taza de nueces picadas
Glaseado de Chocolate (receta más adelante)

1. Caliente el horno a 180 °C. Engrase y enharine un molde redondo de 23 cm.

2. En una sartén grande, hierva el jarabe y la margarina, a fuego medio, moviendo ocasionalmente; retire del fuego. Agregue el chocolate y mezcle bien. Añada el azúcar y los huevos, uno a la vez, hasta que se incorporen. Ponga la vainilla, la harina y las nueces. Coloque en el molde previamente preparado.

3. Hornee durante 30 minutos o hasta que, al insertar en el centro un palillo, éste salga limpio. Deje enfriar en el molde durante 10 minutos. Desmolde y deje enfriar por completo.

4. Prepare el glaseado y cubra completamente. Deje reposar durante 1 hora.
Rinde unas 8 porciones

Glaseado de Chocolate: En una sartén pequeña, a fuego bajo, derrita 3 tablillas (de 30 g cada una) de chocolate semiamargo y 1 cucharada de margarina o mantequilla; bata frecuentemente. Retire del fuego. Agregue 2 cucharadas de jarabe de maíz, claro u oscuro, y 1 cucharadita de leche; bata hasta obtener una consistencia suave.

Los Mejores Brownies

½ taza de margarina o mantequilla derretida
1 taza de azúcar
1 cucharadita de vainilla
2 huevos
½ taza de harina de trigo
⅓ de taza de cocoa
¼ de cucharadita de polvo para hornear
¼ de cucharadita de sal
½ taza de nuez picada (opcional)
   Betún Cremoso de Chocolate (receta más adelante)

Caliente el horno a 180 °C. Engrase un molde cuadrado de 23 cm. Revuelva la mantequilla, el azúcar y la vainilla en un recipiente grande. Agregue los huevos y bata con una cuchara. Mezcle la harina, la cocoa, el polvo para hornear y la sal; añada gradualmente a la mezcla de mantequilla. Ponga la nuez. Vierta en el molde previamente preparado. Hornee de 20 a 25 minutos o hasta que las orillas del brownie se empiecen a separar del molde. Deje enfriar y unte el Betún Cremoso de Chocolate. Corte en cuadros. *Rinde unos 16 brownies*

Betún Cremoso de Chocolate

3 cucharadas de mantequilla suavizada
3 cucharadas de cocoa
1 cucharada de jarabe de maíz light
½ cucharadita de vainilla
1 taza de azúcar glass
1 o 2 cucharadas de leche

Bata la mantequilla, la cocoa, el jarabe de maíz y la vainilla. Agregue el azúcar y la leche; bata hasta obtener la consistencia necesaria para untar. Rinde alrededor de 1 taza de betún.

Brownies con Chispas de Crema de Cacahuate

½ taza de mantequilla
4 tablillas (de 30 g cada una) de chocolate semiamargo
½ taza de azúcar
2 huevos
1 cucharadita de vainilla
½ taza de harina de trigo
1 paquete (360 g) de chispas de crema de cacahuate (maní)
1 taza (180 g) de chispas de chocolate de leche

Caliente el horno a 180 °C. Engrase un molde cuadrado de 20 cm. Derrita la mantequilla y el chocolate semiamargo en una sartén pesada, a fuego bajo, moviendo hasta que el chocolate se derrita completamente. Retire del fuego y deje enfriar. Bata el azúcar y los huevos en un recipiente grande, hasta obtener una consistencia ligera y esponjosa. Agregue la vainilla y la mezcla de chocolate. Añada la harina y revuelva bien. Incorpore las chispas de crema de cacahuate. Vierta la mezcla de manera uniforme en la charola previamente preparada.

Hornee de 25 a 30 minutos o hasta que el centro esté firme y seco. Retire del horno y espolvoree encima las chispas de chocolate. Cuando las chispas se hayan derretido, úntelas uniformemente. Refrigere hasta que la cubierta de chocolate esté firme. Corte en cuadros de 5 cm. *Rinde 16 brownies*

Brownies con Chispas de Crema de Cacahuate

Brownies Confeti de Dos Capas

¾ de taza de mantequilla o margarina
    suavizada
1 taza de azúcar granulada
1 taza de azúcar morena
3 huevos grandes
1 cucharadita de extracto de vainilla
2½ tazas de harina de trigo
2½ cucharaditas de polvo para hornear
½ cucharadita de sal
⅓ de taza de cocoa sin endulzar
1 cucharada de mantequilla o margarina
    derretida
1 taza de chocolates confitados miniatura

Caliente el horno a 180 °C. Engrase un molde de 33×23×5 cm. En un recipiente grande, bata a punto de crema la mantequilla, el azúcar y el azúcar morena, hasta obtener una consistencia ligera y esponjosa. Agregue los huevos y la vainilla; bata bien. En un recipiente mediano, mezcle 2¼ tazas de harina, el polvo para hornear y la sal; incorpore a la mezcla de mantequilla. Divida la masa a la mitad. Revuelva la cocoa y la mantequilla derretida y colóquelas en una de las masas. Vierta la masa con cocoa en el molde previamente preparado. A la otra mitad de la masa, agregue ¼ de taza de harina y ½ taza de chocolates confitados miniatura. Vierta sobre la masa de cocoa. Ponga encima el resto de los chocolates confitados. Hornee de 25 a 30 minutos o hasta que las orillas se empiecen a separar del molde. Deje enfriar completamente. Corte en cuadros. Guarde en un recipiente hermético. *Rinde 24 brownies*

Brownies Totalmente Americanos

⅓ de taza de mantequilla o margarina
1 tablilla (30 g) de chocolate amargo
1 taza de azúcar
2 huevos
1 cucharadita de vainilla
1 taza de harina de trigo
½ cucharadita de polvo para hornear
¼ de cucharadita de sal
225 g de barras de granola en trozos

Caliente el horno a 180 °C. Engrase el fondo de un molde cuadrado de 20 cm.

En una sartén de 1½ litros, derrita la mantequilla y el chocolate, a fuego bajo, moviendo ocasionalmente. Agregue el azúcar y bata bien. Añada los huevos, 1 a la vez, batiendo después de cada adición. Vierta la vainilla. Mezcle la harina, el polvo para hornear y la sal; incorpore a la mezcla de chocolate y revuelva bien. Vierta en el molde previamente preparado.

Hornee durante 20 minutos o hasta que el brownie se empiece a despegar de las orillas del molde. Retire del horno y espolvoree la granola. Cubra con papel de aluminio y deje enfriar completamente. Retire el papel de aluminio y corte en cuadros. *Rinde unos 12 brownies*

Brownies Confeti de Dos Capas

Brownies con Cubierta de Caramelo

4 tablillas de chocolate amargo
¾ de taza (1½ barras) de margarina
2 tazas de azúcar
3 huevos
1 cucharadita de vainilla
1 taza de harina de trigo
1 taza de chispas de chocolate semiamargo
1½ tazas de nuez picada
1 paquete (400 g) de caramelos
⅓ de taza de leche evaporada

CALIENTE el horno a 180 °C.

DERRITA el chocolate y la margarina en el microondas, durante 2 minutos a temperatura ALTA, o hasta que la margarina se derrita. Bata el chocolate hasta que esté fundido.

AGREGUE el azúcar a la mezcla de chocolate. Añada los huevos y la vainilla; mezcle bien. Incorpore la harina. Separe 1 taza de la masa. Vierta el resto en un molde engrasado de 33×23 cm. Espolvoree las chispas y 1 taza de nuez.

DERRITA los caramelos y la leche en el microondas, durante 4 minutos a temperatura ALTA; revuelva después de 2 minutos. Bata hasta que los caramelos estén derretidos y tengan una consistencia suave. Con una cuchara, ponga la mezcla encima de las chispas y las nueces, esparciendo hacia las orillas del molde. Con cuidado, vierta la masa que separó sobre la mezcla de caramelo. Espolvoree el resto de las nueces.

HORNEE durante 40 minutos o hasta que, al insertar en el centro un palillo, éste salga con grumos. *No hornee de más.* Deje enfriar en el molde y corte en cuadros.

Rinde unos 24 brownies

Brownies de Mantequilla Escocesa

1 taza de chispas de mantequilla escocesa
¼ de taza de margarina o mantequilla suavizada
½ taza compacta de azúcar morena
2 huevos
½ cucharadita de vainilla
1 taza de harina de trigo
½ cucharadita de polvo para hornear
¼ de cucharadita de sal
1 taza de chispas de chocolate semiamargo

Caliente el horno a 180 °C. Engrase un molde cuadrado de 23 cm. Derrita las chispas de mantequilla en una sartén pesada, a fuego bajo, moviendo constantemente.

Bata la mantequilla y el azúcar en un recipiente grande hasta obtener una consistencia ligera y esponjosa. Agregue los huevos, 1 a la vez, batiendo bien después de cada adición. Añada la vainilla y las chispas derretidas. Mezcle la harina, el polvo para hornear y la sal en un recipiente pequeño; incorpore a la mezcla de mantequilla. Bata bien. Vierta la masa en el molde previamente preparado.

Hornee de 20 a 25 minutos o hasta que haya dorado y el centro esté listo. Retire el molde del horno y espolvoree inmediatamente las chispas de chocolate. Deje reposar durante 4 minutos o hasta que el chocolate se haya derretido. Unte el chocolate de manera uniforme. Corte en cuadros de 3 cm.

Rinde unos 16 brownies

Brownies de Mantequilla Escocesa

Brownies con Doble "Cubierta"

BROWNIES

> 1 paquete de harina preparada para brownies de doble chocolate
> 2 huevos
> ⅓ de taza de agua
> ¼ de taza de aceite vegetal o de canola
> ½ taza de coco rallado
> ½ taza de nuez picada

BETÚN

> 3 tazas de azúcar glass
> ⅓ de taza de manteca vegetal
> 1½ cucharaditas de extracto de vainilla
> 2 o 3 cucharadas de leche

CUBIERTA

> 3 tablillas (90 g) de chocolate amargo
> 1 cucharada de mantequilla o margarina

1. Caliente el horno a 180 °C. Engrase el fondo de un molde de 33×23 cm.

2. Para hacer los brownies, mezcle el contenido del paquete de harina preparada, los huevos, el agua y el aceite en un recipiente grande. Bata bien con una cuchara, aproximadamente 50 veces. Agregue el coco y las nueces. Vierta en el molde que preparó. Hornee a 180 °C de 27 a 30 minutos o hasta que esté listo. Deje enfriar por completo.

3. Para el betún, mezcle el azúcar glass, ⅓ de taza de manteca y el extracto de vainilla. Vierta la leche, 1 cucharada a la vez, hasta obtener la consistencia necesaria para untar. Unte sobre los brownies fríos. Refrigere hasta que el betún esté firme, durante unos 30 minutos.

4. Para la cubierta, derrita el chocolate y 1 cucharada de mantequilla en un recipiente pequeño en baño María. Bata hasta obtener una consistencia suave. Adorne el betún. Refrigere hasta que el chocolate esté firme, aproximadamente por 15 minutos. Corte en cuadros.   *Rinde unos 48 brownies*

Brownies Diferentes

> ¾ de taza (1½ barras) de mantequilla o margarina derretida
> 1½ tazas de azúcar
> 1½ cucharaditas de extracto de vainilla
> 3 huevos
> ¾ de taza de harina de trigo
> ½ taza de cocoa
> ½ cucharadita de polvo para hornear
> ½ cucharadita de sal

Caliente el horno a 180 °C. Engrase un molde cuadrado de 20 cm.

En un recipiente mediano, mezcle la mantequilla, el azúcar y la vainilla. Agregue los huevos y bata con una cuchara. Combine la harina, la cocoa, el polvo para hornear y la sal. De manera gradual, añada a la mezcla de huevo, batiendo bien. Vierta en el molde previamente preparado.

Hornee de 40 a 45 minutos o hasta que los brownies se empiecen a desprender de las orillas del molde. Deje enfriar completamente. Corte en cuadros.   *Rinde unos 16 brownies*

Variante: Agregue 1 taza de chispas de crema de cacahuate (maní) o de chocolate semiamargo. Continúe de acuerdo con las instrucciones.

Brownies con Doble "Cubierta"

Brownies con Frambuesa

½ taza de mantequilla
3 tablillas (de 30 g cada una) de chocolate
    amargo*
2 huevos
1 taza de azúcar
1 cucharadita de vainilla
¾ de taza de harina de trigo
¼ de cucharadita de polvo para hornear
½ taza de almendras rebanadas
½ taza de mermelada de frambuesa
1 taza (180 g) de chispas de chocolate de
    leche

*Puede sustituir por 1 tablilla de chocolate sin azúcar más 2 de chocolate semiamargo.

Caliente el horno a 180 °C: Engrase y enharine un molde cuadrado de 20 cm.

Derrita la mantequilla y el chocolate en una sartén pequeña, a fuego bajo. Retire del fuego y deje enfriar. Bata los huevos, el azúcar y la vainilla en un recipiente grande. Agregue a la mezcla de chocolate. Añada la harina y el polvo para hornear. Vierta ¾ de la masa en el molde previamente preparado; espolvoree las almendras.

Hornee durante 10 minutos. Retire del horno y unte la mermelada sobre las almendras. Con cuidado, coloque el resto de la masa sobre la mermelada; suavice la superficie. Hornee hasta que la parte superior se sienta firme.

Retire del horno y espolvoree las chispas de chocolate. Deje reposar durante unos cuantos minutos, hasta que las chispas se derritan; luego úntelas sobre los brownies. Deje enfriar completamente. Cuando el chocolate haya endurecido, corte en cuadros de 5 cm.

Rinde 16 brownies

Brownies Únicos

4 tablillas de chocolate amargo
¾ de taza (1½ barras) de margarina o
    mantequilla
2 tazas de azúcar
3 huevos
1 cucharadita de vainilla
1 taza de harina de trigo
1 taza de nuez picada (opcional)

Caliente el horno a 180 °C (160 °C si utiliza refractario). Cubra un molde de 33×23 cm con papel de aluminio. Engrase.

Hornee el chocolate y la margarina en el horno de microondas, a temperatura ALTA, por 2 minutos o hasta que la margarina se derrita. Bata hasta que el chocolate esté completamente derretido.

Agregue el azúcar al chocolate y bata muy bien. Añada los huevos y la vainilla. Incorpore la harina y las nueces, si lo desea. Vierta sobre el molde previamente preparado.

Hornee de 30 a 35 minutos o hasta que, al insertar en el centro un palillo, éste salga con grumos. No hornee de más. Deje enfriar y desmolde. Corte en cuadros.

Rinde 24 brownies

Preparación en la Estufa: Derrita el chocolate y la margarina en una sartén pesada de 3 litros, a fuego muy bajo; mueva constantemente. Retire del fuego. Continúe de acuerdo con las instrucciones.

Brownies con Frambuesa

Brownies de Triple Chocolate

3 tablillas (de 30 g cada una) de chocolate amargo en trozos
2 tablillas (de 30 g cada una) de chocolate semiamargo en trozos
½ taza de mantequilla
1 taza de harina de trigo
½ cucharadita de sal
¼ de cucharadita de polvo para hornear
1½ tazas de azúcar
3 huevos
1 cucharadita de vainilla
¼ de taza de crema agria
½ taza de chispas de chocolate de leche
Azúcar glass (opcional)

Caliente el horno a 180 °C. Engrase un molde de 33×23 cm. Coloque el chocolate amargo, el semiamargo y la mantequilla en un recipiente para microondas. Hornee a temperatura ALTA hasta que la mantequilla se haya derretido; bata el chocolate hasta que esté bien derretido. Deje enfriar. Mezcle la harina, la sal y el polvo para hornear. Con la batidora a velocidad media, bata el azúcar, los huevos y la vainilla, hasta que espese un poco. Agregue la mezcla de chocolate y bata hasta que se combinen. Añada la mezcla de harina; bata hasta que se incorporen. Ponga la crema agria y las chispas de chocolate; bata hasta que se combinen. Vierta la masa en el molde. Hornee hasta que, al insertar en el centro un palillo, éste salga casi limpio. Deje enfriar en el molde, sobre una rejilla de alambre. Corte en cuadros de 5 cm. Espolvoree el azúcar glass, si lo desea.

Guarde en un recipiente hermético a temperatura ambiente, o congele hasta por 3 meses.

Rinde 2 docenas de brownies

Brownies de Chocolate con Caramelo

1 paquete (540 o 550 g) de harina preparada para torta de chocolate
1 taza de nuez picada
½ taza de mantequilla o margarina derretida
1 taza de leche evaporada sin diluir
35 caramelos (285 g)
1 taza (180 g) de chocolate semiamargo en trocitos

MEZCLE la harina preparada y las nueces en un recipiente grande; agregue la mantequilla y bata bien. Vierta ⅔ *de taza* de la leche evaporada (la masa tendrá una consistencia espesa). Esparza *la mitad* de la mezcla en un molde previamente engrasado de 33×23 cm. Hornee a 180 °C durante 15 minutos.

MEZCLE los caramelos y *el resto* de la leche evaporada en una olla pequeña. Caliente a fuego bajo, moviendo constantemente, durante unos 10 minutos o hasta que los caramelos se hayan derretido. Espolvoree los trozos de chocolate sobre el pan horneado. Bañe con la mezcla de caramelo. Con una cuchara, coloque la masa *restante* sobre la mezcla de caramelo. Hornee de 20 a 25 minutos más (la capa de arriba tendrá una consistencia suave). Deje enfriar por completo.   *Rinde unos 48 brownies*

Brownies de Triple Chocolate

Brownies de Diseñador

¾ de taza de cocoa
½ cucharadita de bicarbonato de sodio
⅔ de taza de margarina o mantequilla
    derretida
½ taza de agua hirviente
2 tazas de azúcar
2 huevos
1⅓ tazas de harina de trigo
1 cucharadita de extracto de vainilla
¼ de cucharadita de sal
¾ de taza de nueces de macadamia picadas
2 tazas de chispas de chocolate semiamargo
    Glaseado de Vainilla (receta más
    adelante)

Caliente el horno a 180 °C. Engrase un molde de 33×23 cm o 2 moldes cuadrados de 20 cm.

Mezcle la cocoa y el bicarbonato de sodio; agregue ⅓ de taza de mantequilla derretida. Vierta el agua y bata hasta que la mezcla espese. Añada el azúcar, los huevos y la mantequilla derretida restante; bata hasta obtener una consistencia suave. Incorpore la harina, la vainilla y la sal; mezcle bien. Ponga las nueces y 1½ tazas de chispas de chocolate. Coloque en el molde previamente preparado.

Hornee de 30 a 35 minutos si utiliza moldes cuadrados, o de 35 a 40 minutos si utiliza el molde rectangular, o hasta que las orillas del brownie se empiecen a separar del molde. Deje enfriar por completo.

Prepare el Glaseado de Vainilla. Unte sobre el brownie frío. Corte los brownies en triángulos. Ponga las chispas restantes en baño María. Bata hasta que se derritan. Coloque las chispas derretidas en una duya con punta fina; trace el diseño que usted guste sobre cada brownie.

Rinde unos 24 brownies

Glaseado de Vainilla

2 cucharadas de margarina o mantequilla
1 cucharada de leche
¼ de cucharadita de extracto de brandy
¼ de cucharadita de extracto de ron
1 taza de azúcar glass

Derrita la mantequilla con la leche en una olla pequeña, a fuego bajo. Reitre del fuego y agregue el brandy y el ron. Añada gradualmente el azúcar glass, batiendo hasta obtener una consistencia suave. Si el glaseado está demasiado espeso, agregue leche, ½ cucharadita a la vez.

Rinde alrededor de ½ taza de glaseado

Caprichosas

GOLOSINAS PARA LOS NIÑOS

Paletas con Carita

1½ tazas de azúcar granulada
1 taza de manteca vegetal
2 huevos grandes
1 cucharadita de extracto de vainilla
2¾ tazas de harina de trigo
1 cucharadita de polvo para hornear
½ cucharadita de bicarbonato de sodio
1¾ tazas de chocolates confitados miniatura
Azúcar granulada adicional
2½ docenas de palitos para paleta
Betunes preparados
Tubos de betún para decorar

En un recipiente grande, bata 1½ tazas de azúcar y la manteca hasta obtener una consistencia ligera y cremosa; agregue los huevos y la vainilla; bata bien. En un recipiente mediano, mezcle la harina, el polvo para hornear y el bicarbonato de sodio; añada a la mezcla de manteca. Incorpore 1¼ tazas de chocolates confitados. Envuelva la masa en plástico y refrigérela durante 1 hora.

Caliente el horno a 180 °C. Haga bolitas de masa de 3 cm y espolvoréelas con azúcar. Inserte una bolita en cada palito para paleta. Coloque las paletas sobre una charola sin engrasar, con una separación de 5 cm entre sí. Con cuidado, aplane las bolitas, utilizando un plato pequeño. Sobre la mitad de las galletas, forme una carita sonriente con chocolates confitados. El resto de las galletas se decorarán después de horneadas. Hornee todas las galletas de 10 a 12 minutos o hasta que estén doradas. Deje enfriar durante 2 minutos sobre las charolas; retire de las charolas y deje enfriar completamente. Decore las galletas al gusto, utilizando los betunes, los tubos de betún y el resto de los chocolates confitados. Guarde, en una sola capa, en un recipiente hermético.

Rinde 2½ docenas de galletas

Variante: Para galletas de chocolate, mezcle ⅓ de taza de cocoa con la harina, el polvo para hornear y el bicarbonato de sodio; continúe de acuerdo con las instrucciones.

Paletas con Carita

Galletas Hot Dog

¾ de taza de mantequilla suavizada
¼ de taza de azúcar granulada
¼ de taza de azúcar morena
1 yema de huevo
1⅓ tazas de harina de trigo
⅛ de cucharadita de polvo para hornear
⅛ de cucharadita de sal
   Coco rallado, geles verde y rojo para
   decorar, betún y gomitas

1. Mezcle la mantequilla, el azúcar, el azúcar morena y la yema de huevo. Agregue la harina, el polvo para hornear y la sal; mezcle bien. Tape y refrigere hasta que esté firme. Engrase charolas para galletas.

2. Utilice ⅓ de la masa para hacer las "salchichas". Refrigere el resto de la masa. Combine colores vegetales en un recipiente pequeño, hasta obtener un tono pardo-rojizo, siguiendo las indicaciones de las envolturas. Revuelva con el ⅓ de masa que separó. Mezcle bien utilizando una cuchara de madera.

3. Divida la masa en 6 secciones iguales. Déles forma de salchicha. Deje reposar.

4. Para hacer el "pan", divida el resto de la masa en 6 secciones iguales. Haga troncos gruesos. Forme hendiduras profundas a lo largo del tronco; alise las orillas para darle forma de pan.

5. Con una espátula, levante los panes y báñelos con semillas de ajonjolí. Colóquelos sobre las charolas con una separación de 7.5 cm entre sí. Coloque las salchichas dentro de los panes.

6. Congele durante 20 minutos. Caliente el horno a 180 °C. Hornee de 17 a 20 minutos o hasta que las orillas del pan estén doradas. Deje enfriar completamente en las charolas.

7. Adorne con coco rallado pintado de verde (para el "pepinillo"), coco rallado blanco (para la "cebolla"), gel rojo (la "catsup") y gel amarillo (la "mostaza").   *Rinde 6 galletas hot dog*

Consejo: Para poner las decoraciones en las galletas, puede utilizar una bolsa de plástico a manera de duya. Utilice una espátula para rellenar la bolsa con el gel o betún. Desdoble la bolsa y gire la parte superior sobre el relleno. Corte la punta de una de las esquinas de la bolsa. Sujete firmemente la bolsa y presione para que salga el relleno.

Galletas de Chocolate con Crema de Cacahuate

1 paquete de harina preparada para torta de chocolate
¾ de taza de crema de cacahuate (maní)
2 huevos
2 cucharadas de leche
1 taza de dulces de crema de cacahuate confitados

1. Caliente el horno a 180 °C.

2. Mezcle la harina para torta, la crema de cacahuate, los huevos y la leche. Bata a velocidad baja. Agregue los dulces confitados.

3. Coloque cucharadas abundantes de la masa en las charolas previamente preparadas. Hornee de 7 a 9 minutos o hasta que hayan dorado ligeramente. Deje enfriar durante 2 minutos en las charolas. Retire de las charolas y deje enfriar por completo.

Rinde unas 3½ docenas de galletas

Galletas Hot Dog

Galletas Chiclositas

1 paquete (600 g) de masa para galletas
    refrigerada, de cualquier sabor
Harina de trigo (opcional)
Crema de cacahuate, malvaviscos
    miniatura de diferentes colores, grageas
    de diferentes colores, pasas cubiertas
    con chocolate y caramelos cuadrados

1. Caliente el horno a 180 °C.

2. Retire la envoltura de la masa de acuerdo con las instrucciones del paquete.

3. Corte la masa en 4 secciones iguales. Reserve 1 sección; refrigere las restantes.

4. Extienda con el rodillo la masa que reservó, hasta que tenga .5 cm de grosor. Si es necesario, espolvoree harina para evitar que se pegue.

5. Con un cortador redondo para galletas de 7.5 cm, corte la masa. Coloque los círculos sobre las charolas previamente preparadas. Repita con el resto de la masa.

6. Hornee de 8 a 11 minutos o hasta que las orillas estén un poco doradas. Retire del horno y deje enfriar completamente.

7. Para hacer el emparedado, unte aproximadamente 1½ cucharadas de crema de cacahuate en la cara plana de 1 galleta; deje libre un margen de .5 cm de la orilla. Agregue los malvaviscos y los caramelos.

8. Coloque otra galleta encima, presionando ligeramente. Repita con el resto de las galletas. Justo antes de servir, coloque los emparedados sobre toallas de papel. Hornéelos en el microondas, a temperatura ALTA (100%), de 15 a 25 segundos o hasta que se suavice el relleno.   *Rinde de 8 a 10 emparedados de galleta*

Galletas Pretzel de Mantequilla

¾ de taza de mantequilla suavizada
¼ de taza de azúcar
¼ de taza de azúcar morena
1 yema de huevo
1⅓ tazas de harina de trigo
¾ de cucharadita de polvo para hornear
⅛ de cucharadita de sal
    Azúcar en grano, de colores

1. Combine la mantequilla, el azúcar, el azúcar morena y la yema de huevo en un recipiente mediano. Agregue la harina, el polvo para hornear y la sal. Mezcle bien. Tape y refrigere durante 4 horas o hasta que esté firme.

2. Caliente el horno a 180 °C. Engrase charolas para galletas.

3. Divida la masa en 4 secciones iguales. Reserve 1 sección y refrigere las restantes. Divida la masa que reservó en 4 piezas iguales. Sobre una superficie enharinada, extienda cada pieza y forme una cuerda de 30 cm. Espolvoréelas con el azúcar en grano.

4. Coloque las cuerdas, una por una, en las charolas previamente preparadas. Déles la forma de un pretzel. Repita el procedimiento con la masa restante.

5. Hornee de 14 a 18 minutos o hasta que las orillas empiecen a dorar. Deje que se enfríen por 1 minuto en las charolas. Páselas a rejillas de alambre para que se enfríen por completo.
   Rinde 16 galletas

Galletas Chiclositas

Galletas Dominó

1 paquete (570 g) de masa preparada para galletas de cualquier sabor
Harina de trigo (opcional)
½ taza de chispas de chocolate semiamargo

1. Caliente el horno a 180 °C. Engrase charolas para galletas.

2. Retire la masa de la envoltura siguiendo las instrucciones del paquete. Corte la masa en 4 secciones iguales. Separe 1 sección y refrigere las otras 3.

3. Forme un rollo de 1 cm de grosor. Si es necesario, enharine para que no se pegue.

4. Corte 9 rectángulos de 3×6 cm. Colóquelos sobre las charolas previamente preparadas, con una separación de 5 cm entre sí.

5. Con un cuchillo afilado, haga un corte en medio de la galleta. Con cuidado, coloque chispas de chocolate y presione ligeramente, para dar la forma de fichas de dominó. Haga lo mismo con el resto de la masa.

6. Hornee de 8 a 10 minutos o hasta que las orillas hayan dorado ligeramente. Retire de las charolas y deje enfriar por completo.

Rinde 3 docenas de galletas

Consejo: Utilice estas adorables galletas como una herramienta educativa. Los niños pueden contar el número de rueditas de chocolate de cada galleta y acomodarlas de muchas maneras: de la más alta a la más baja numéricamente, o hasta pueden resolver sencillos problemas matemáticos. Como recompensa, se pueden comer las galletas.

Galleta de Barras

1 paquete de harina preparada para galletas con chispas de chocolate
¼ de taza de cocoa
1 huevo

CUBIERTA DE CARAMELO

1 paquete (400 g) de caramelos
⅓ de taza de leche evaporada
⅓ de taza de mantequilla o margarina
1⅔ tazas de azúcar glass
1 taza de nuez picada

BETÚN DE CHOCOLATE

½ taza de chispas de chocolate semiamargo
2 cucharaditas de manteca vegetal

1. Caliente el horno a 190 °C.

2. Para la cubierta, mezcle la harina para galletas y la cocoa. Agregue la manteca del paquete y el huevo. Bata bien. Coloque en el fondo de un molde sin engrasar de 33×23 cm. Hornee de 14 a 16 minutos o hasta que esté lista.

3. Para la capa de caramelo, ponga los caramelos, la leche evaporada y la mantequilla en un recipiente para microondas. Hornee a temperatura MEDIA (50%) durante 45 minutos y bata. Repita en caso necesario. Una vez que esté derretido, agregue el azúcar glass y bata hasta obtener una consistencia suave. Ponga las nueces y vierta sobre la base tibia.

4. Para el betún de chocolate, derrita las chispas de chocolate y la manteca en baño María. Mezcle hasta que esté derretido. Bañe sobre la capa de caramelo. Refrigere hasta que el chocolate esté firme. Corte en forma de barras.

Rinde unas 48 barras

Galletas Dominó

Panquecitos Rocosos

¾ de taza de margarina o mantequilla
4 tablillas (de 30 g cada una) de chocolate
    amargo
1½ tazas de azúcar granulada
3 huevos grandes
1 taza de harina de trigo
1¾ tazas de chocolates confitados miniatura
¾ de taza de nuez picada
1 taza de malvaviscos miniatura

Caliente el horno a 180 °C. Engrase 24 moldes para muffin (de 6 cm) o coloque tazones de papel de aluminio. Coloque la mantequilla y el chocolate en un recipiente grande para microondas. Hornee a temperatura ALTA durante 1 minuto y bata. Vuelva a hornear otros 30 segundos a temperatura ALTA; bata el chocolate hasta que esté completamente derretido. Agregue el azúcar y los huevos, uno a la vez, batiendo después de cada adición; añada la harina. En otro recipiente, revuelva los chocolates confitados y la nuez; ponga 1 taza de esta mezcla en la de brownie. Divida la masa de manera uniforme en los moldes. Hornee durante 20 minutos. Mezcle el resto de los chocolates con los malvaviscos y distribuya de manera uniforme sobre los brownies. Regrese al horno y hornee durante 5 minutos más. Deje enfriar completamente antes de desmoldar. Guarde en un recipiente hermético.   *Rinde 24 panquecitos*

Panquecitos Rocosos Miniatura: Prepare la receta de acuerdo con las instrucciones, y divida la masa entre 60 moldes para muffin miniatura de 5 cm. Hornee durante 15 minutos. Decore con los dulces y hornee durante 5 minutos más. Deje enfriar completamente antes de desmoldar. Guarde en un recipiente hermético. Rinde 60 panquecitos miniatura.

Cuadros Rocosos: Prepare la receta de acuerdo con las instrucciones; distribuya la masa en un molde engrasado de 33×23×5 cm. Hornee durante 30 minutos. Decore con los dulces. Hornee durante 5 minutos más. Deje enfriar completamente. Corte en cuadros. Guarde en un recipiente hermético. Rinde 24 cuadros.

Galletas de Chocolate con Cacahuate

1 taza de mantequilla suavizada
¾ de taza de azúcar granulada
¾ de taza de azúcar morena
2 huevos
1 cucharadita de vainilla
1 cucharadita de bicarbonato de sodio
¼ de cucharadita de sal
2¼ tazas de harina de trigo
2 tazas de cacahuates cubiertos de
    chocolate confitados

Caliente el horno a 180 °C. Cubra las charolas con papel pergamino o no la engrase.

Bata la mantequilla, los azúcares, los huevos y la vainilla en un recipiente grande, hasta obtener una consistencia ligera y esponjosa. Mezcle el bicarbonato de sodio y la sal. Agregue la harina para obtener una consistencia dura. Añada los cacahuates confitados. Coloque cucharaditas abundantes de la masa sobre las charolas, a 5 cm de separación entre sí.

Hornee de 9 a 11 minutos o hasta que estén ligeramente doradas. *No hornee de más.* Retire de las charolas y deje enfriar.

Rinde unas 5 docenas de galletas

Panquecitos Rocosos

Sándwiches de Mantequilla de Cacahuate y Chocolate

½ taza de chispas de mantequilla de
  cacahuate (maní)
3 cucharadas más ½ taza de margarina o
  mantequilla derretida
1¼ tazas de azúcar
¼ de taza de jarabe de maíz claro
1 huevo
1 cucharadita de extracto de vainilla
2 tazas más 2 cucharadas de harina de trigo
2 cucharaditas de bicarbonato de sodio
¼ de cucharadita de sal
½ taza de cocoa
5 cucharadas de mantequilla derretida
  Azúcar
  Unas 2 docenas de malvaviscos grandes

Caliente el horno a 180 °C. Derrita las chispas de
mantequilla de cacahuate y 3 cucharadas de
mantequilla suavizada en una sartén a fuego bajo.
Retire del fuego y deje enfriar ligeramente.

Bata la mantequilla suavizada restante junto con
1 taza de azúcar, hasta obtener una consistencia
ligera y esponjosa. Agregue el jarabe de maíz, el
huevo y la vainilla; revuelva bien. Mezcle 2 tazas
de harina, el bicarbonato de sodio y la sal; añada
a la mezcla de mantequilla; revuelva bien. Separe
1¼ tazas de masa y colóquela en un recipiente.
Con una cuchara de madera, ponga las 2
cucharadas de harina restantes en la mezcla de
chispas de cacahuate y mezcle bien.

Combine la cocoa, el azúcar restante y
5 cucharadas de mantequilla derretida en el resto
de la masa. Refrigere ambas partes de la masa
hasta que esté lo suficientemente firme como para
amasarla. Con cada una de las masas, forme
bolitas de 2.5 cm y espolvoréelas con azúcar.
Colóquelas en charolas sin engrasar.

Hornee de 10 a 11 minutos o hasta que estén
listas. Deje enfriar ligeramente y retire de la
charola para enfriar por completo. Coloque un
malvavisco entre las partes planas de 2 galletas.
Meta al microondas durante 10 segundos o hasta
que el malvavisco se haya suavizado. Haga lo
mismo con el resto de las galletas. Sirva de
inmediato.   *Rinde unas 2 docenas de sándwiches*

Jumbles

½ taza de mantequilla o margarina suavizada
½ taza de azúcar granulada
¼ de taza de azúcar morena
1 huevo grande
1¼ tazas de harina de trigo
½ cucharadita de bicarbonato de sodio
1¾ tazas de chocolates confitados miniatura
1 taza de uvas pasa
1 taza de nuez picada

Caliente el horno a 180 °C. Engrase una charola
para galletas. Bata la mantequilla, el azúcar y el
azúcar morena hasta obtener una consistencia
ligera y esponjosa. Agregue el huevo y bata bien.
Mezcle la harina y el bicarbonato de sodio; añada
esta mezcla a la de mantequilla. Incorpore los
demás ingredientes. Bata bien y coloque
cucharadas de la masa sobre la charola para
galletas. Hornee de 13 a 15 minutos. Deje enfriar
de 2 a 3 minutos sobre la charola; retire y deje
enfriar completamente.

Rinde unas 3 docenas de galletas

Sándwiches de Mantequilla de Cacahuate y Chocolate

Galletas Búfalo

1 taza de manteca vegetal derretida
1 taza de azúcar granulada
1 taza de azúcar morena
2 cucharadas de leche
1 cucharadita de vainilla
2 huevos
2 tazas de harina de trigo
1 cucharadita de polvo para hornear
1 cucharadita de bicarbonato de sodio
½ cucharadita de sal
1 taza de avena sin cocer (instantánea o tradicional)
1 taza de hojuelas de maíz, molidas para obtener ½ taza
1 taza de chispas de chocolate semiamargo
½ taza de nuez picada
½ taza de coco rallado

1. Caliente el horno a 180 °C. Engrase con manteca varias charolas para galletas.

2. Mezcle la manteca, el azúcar, el azúcar morena, la leche y la vainilla en un recipiente grande. Bata a velocidad baja. Agregue los huevos y bata a velocidad media.

3. Mezcle la harina, el polvo para hornear, el bicarbonato de sodio y la sal. Añada poco a poco a la mezcla de manteca y bata a velocidad baja. Incorpore la avena, las hojuelas molidas, las chispas de chocolate, las nueces y el coco. Con una cuchara para helado de ¼ de taza (o una taza medidora de ¼), coloque bolitas de la masa en las charolas previamente preparadas, separadas 7.5 cm entre sí.

4. Hornee a 180 °C de 13 a 15 minutos o hasta que las orillas estén ligeramente doradas y el centro esté suave. *No hornee de más.* Deje enfriar durante 3 minutos sobre la charola antes de pasarlas a rejillas de alambre con ayuda de una palita ancha.

Rinde de 2 a 2½ docenas de galletas

Galletas de Chocolate con Animalitos

1 paquete (285 g) de chispas de crema de cacahuate
1 taza (180 g) de chispas de chocolate semiamargo
2 tazas de manteca (no utilice mantequilla, margarina, ni aceite)
1 paquete (570 g) de galletas sándwich
1 paquete (450 g) de galletas de animalitos

Forre charolas para galletas con papel encerado. Con la mano, mezcle las chispas y la manteca en un recipiente de 2 litros. Meta al microondas durante 2 minutos a temperatura ALTA (100%) o hasta que las chispas se hayan derretido y la mezcla tenga una consistencia suave al batirla. Con un tenedor, moje cada galleta en la mezcla de chispas; sáquela y sacúdala ligeramente para quitar el exceso de chocolate. Coloque las galletas cubiertas sobre las charolas previamente preparadas. Ponga una galleta de animalitos encima de la galleta. Deje enfriar hasta que el chocolate esté firme, durante unos 30 minutos. Guarde en un recipiente hermético en un lugar fresco y seco.   *Rinde unas 4 docenas de galletas*

Galletas de Chocolate con Animalitos

Galletas Girasol

1 paquete (570 g) de masa preparada para
galletas de crema de cacahuate
⅓ de taza de harina de trigo
½ taza de chispas de chocolate semiamargo
½ taza de semillas de girasol sin sal
Betún amarillo y verde

1. Desenvuelva la masa siguiendo las instrucciones del paquete. Con una cuchara de madera, mezcle la masa y la harina. Divida la masa en 8 partes iguales. Caliente el horno a 190 °C. Para hacer los girasoles, divida cada porción de masa en dos partes. Con una de las mitades forme una bolita y aplánela sobre la charola sin engrasar hasta obtener un grosor de 3 cm.

2. Con la otra parte, forme un rollo de 12.5 cm de largo. Corte 5 cm para utilizarlo como tallo. De los 7.5 cm restantes, corte 10 secciones iguales y haga pequeñas bolas.

3. Forme la flor colocando las bolitas alrededor del círculo de la charola, como se muestra en la fotografía. Haga lo mismo con el resto de la masa. Hornee de 10 a 11 minutos o hasta que hayan dorado ligeramente. Deje enfriar durante 4 minutos en la charola. Páselas a una rejilla de alambre y déjelas enfriar completamente.

4. Derrita las chispas de chocolate en el microondas, a temperatura ALTA (100%), durante 1½ minutos o hasta obtener una consistencia suave al batir. Ponga chocolate derretido en el centro de cada galleta y coloque las semillas de girasol encima. Decore los pétalos con el betún amarillo, como se muestra en la fotografía. Adorne el tallo con betún verde o con chocolate derretido, si lo desea.

Rinde 8 porciones

Sándwiches de Fresa

½ taza de mantequilla o margarina suavizada
½ taza de crema de cacahuate
¼ de taza de manteca vegetal sólida
1 taza de azúcar morena
1 huevo grande
1 cucharadita de extracto de vainilla
1⅔ tazas de harina de trigo
1 cucharadita de bicarbonato de sodio
½ cucharadita de polvo para hornear
1 taza de chocolates confitados miniatura
½ taza de cacahuates finamente picados
½ taza de jalea de fresa o de uva

Caliente el horno a 180 °C. En un recipiente grande, bata la mantequilla, la crema de cacahuate, la manteca y el azúcar hasta obtener una consistencia ligera y esponjosa. Agregue el huevo y la vainilla; bata bien. En un recipiente mediano, mezcle la harina, el bicarbonato de sodio y el polvo para hornear; añada esta mezcla a la de mantequilla. Ponga los chocolates confitados y las nueces. Coloque cucharaditas abundantes en charolas para galletas sin engrasar. Hornee de 8 a 10 minutos o hasta que hayan dorado ligeramente. Deje enfriar durante 2 minutos en la charola. Retire de la charola y deje enfriar por completo. Justo antes de servir, unte ½ cucharadita de jalea en la parte inferior de una galleta y coloque otra galleta encima. Guarde en un recipiente hermético.

Galletas Girasol

Ositos de Crema de Cacahuate

1 taza de crema de cacahuate (maní)
1 taza de mantequilla o margarina suavizada
1 taza de azúcar morena
²⁄₃ de taza de jarabe de maíz, claro u oscuro
2 huevos
4 tazas de harina de trigo
1 cucharada de polvo para hornear
1 cucharadita de canela (opcional)
¼ de cucharadita de sal

1. Con la batidora eléctrica a velocidad media, bata la crema de cacahuate, la margarina, el azúcar morena, el jarabe y los huevos, hasta obtener una consistencia suave. Reduzca la velocidad y agregue 2 tazas de harina, el polvo para hornear, la canela y la sal; bata bien. Con una cuchara, bata 2 tazas de harina de trigo en esta mezcla. Envuelva la masa en plástico y refrigere durante 2 horas.

2. Caliente el horno a 160 °C. Divida la masa a la mitad; deje reposar una de ellas.

3. Sobre una superficie enharinada, extienda la masa hasta que tenga un grosor de 1 cm. Con un cortador de galletas en forma de ositos, corte la masa. Hornee los ositos en charolas sin engrasar, durante 10 minutos o hasta que estén ligeramente dorados. Retire de las charolas y deje enfriar Decore al gusto.   *Rinde unas 3 docenas de ositos*

Consejo: Utilice los restos de la masa para hacer las caras de los osos. Haga una bolita para formar el hocico. Con tres bolitas más pequeñas tendrá los ojos y la nariz; presiónelas ligeramente. Hornee según las instrucciones. Si lo desea, utilice betún para formar las corbatas, las orejas y las patas.

Galletas de Manzana con Granola

1 taza de azúcar morena
¾ de taza de margarina o mantequilla suavizada
1 huevo
¾ de taza de puré de manzana
1 cucharadita de vainilla
3 tazas de granola con dátiles y uvas pasa
1½ tazas de harina de trigo
1 taza de coco rallado
1 taza de semillas de girasol sin sal
1 cucharadita de polvo para hornear
1 cucharadita de canela en polvo
½ cucharadita de bicarbonato de sodio
½ cucharadita de sal
½ cucharadita de especias mixtas (allspice)

Mezcle el azúcar morena, la margarina, el huevo, el puré de manzana y la vainilla; bata bien. Incorpore los ingredientes restantes y mezcle bien. Refrigere hasta que esté lo suficientemente firme como para amasarla.

Caliente el horno a 190 °C. Engrase charolas para galletas. Coloque cucharaditas de masa en las charolas, con una separación de 5 cm entre sí. Hornee de 11 a 13 minutos o hasta que las orillas estén ligeramente doradas. Inmediatamente, retírelas de las charolas. Deje enfriar en rejillas de alambre. Guarde las galletas en recipientes herméticos.   *Rinde unas 5 docenas de galletas*

Sugerencia: Para galletas más grandes, coloque ¼ de taza de la masa para cada galleta, separadas 7.5 cm entre sí. Hornee a 190 °C, de 13 a 15 minutos.

Ositos de Crema de Cacahuate

Galletas Sándwich de Malvavisco

⅔ de taza de mantequilla
1¼ tazas de azúcar
¼ de taza de jarabe de maíz claro
1 huevo
1 cucharadita de vainilla
2 tazas de harina de trigo
½ taza de cocoa sin endulzar
2 cucharaditas de bicarbonato de sodio
¼ de cucharadita de sal
  Azúcar para espolvorear
24 malvaviscos grandes

Caliente el horno a 180 °C. Bata la mantequilla y 1¼ tazas de azúcar en un recipiente grande, hasta obtener una consistencia ligera y esponjosa. Agregue la miel, el huevo y la vainilla. En un recipiente mediano, mezcle la harina de trigo, la cocoa, el bicarbonato de sodio y la sal. Añada esta mezcla a la de mantequilla; bata bien. Tape y refrigere durante 15 minutos o hasta que esté lo suficientemente firme como para formar bolitas.

Coloque el azúcar en un recipiente poco profundo. Ruede las bolitas de masa sobre el azúcar. Póngalas sobre charolas sin engrasar, con una separación de 7.5 cm entre sí. Hornee de 10 a 11 minutos o hasta que estén listas. Retire de las charolas y deje enfriar completamente.

Para formar los sándwiches, coloque un malvavisco sobre la parte plana de una de las galletas y meta al microondas, a temperatura ALTA, durante 12 segundos o hasta que el malvavisco se empiece a derretir. Inmediatamente, coloque otra galleta encima, con la parte plana hacia abajo. Presione con suavidad.   *Rinde unas 2 docenas de sándwiches*

Galletas Suaves de Avena

¾ de taza de manteca vegetal
1¼ tazas de azúcar morena
1 huevo
⅓ de taza de leche
1½ cucharaditas de vainilla
3 tazas de avena rápida sin cocer
1 taza de harina de trigo
½ cucharadita de bicarbonato de sodio
½ cucharadita de sal
¼ de cucharadita de canela en polvo
1 taza de uvas pasa
1 taza de nuez picada

1. Caliente el horno a 190 °C. Engrase charolas para galletas con la manteca. Prepare hojas de papel de aluminio para enfriar las galletas.

2. Mezcle la manteca, el azúcar morena, el huevo, la leche y la vainilla en un recipiente grande. Bata a velocidad media hasta mezclar bien.

3. Combine la avena, la harina, el bicarbonato de sodio, la sal y la canela. Incorpore a la mezcla anterior y bata a velocidad media. Agregue las uvas pasa y las nueces.

4. Coloque cucharadas de masa sobre la charola previamente preparada, con una separación de 5 cm entre sí.

5. Hornee una charola a la vez, a 190 °C, de 10 a 12 minutos o hasta que hayan dorado ligeramente. *No hornee de más.* Deje enfriar durante 2 minutos en la charola y retire para enfriar completamente.
          Rinde unas 2½ docenas de galletas

Galletas Sándwich de Malvavisco

Galletas Tortuga de Brownies

2 barras (de 30 g cada una) de chocolate para hornear sin azúcar
⅓ de taza de manteca vegetal
1 taza de azúcar granulada
½ cucharadita de extracto de vainilla
2 huevos grandes
1¼ tazas de harina de trigo
½ cucharadita de polvo para hornear
½ cucharadita de sal
1 taza de chocolates confitados miniatura
1 taza de nueces en mitades
⅓ de taza de helado de caramelo para adornar
⅓ de taza de coco rallado
⅓ de nueces finamente picadas

Caliente el horno a 180 °C. Engrase ligeramente las charolas para galleta. Derrita el chocolate y la manteca en una olla de 2 litros, a fuego medio, moviendo constantemente. Retire del fuego y agregue el azúcar, la vainilla y los huevos. Añada la harina, el polvo para hornear y la sal. Incorpore ⅔ de taza de chocolates confitados. Para cada galleta, acomode 3 mitades de nuez; los extremos casi deben tocarse en el centro. Ponga una bolita en el centro de cada arreglo de nuez. Amontone un poco la masa. Hornee de 8 a 10 minutos o hasta que estén listas. *No hornee de más*. Deje enfriar completamente. En un recipiente pequeño, mezcle el helado, el coco y la nuez; coloque 1½ cucharaditas de la mezcla encima de cada galleta. Ponga ⅓ de taza de chocolate confitado en la cubierta.

Rinde unas 2½ docenas de galletas

Galletas de Chocolate Malteado

½ taza de mantequilla suavizada
½ taza de manteca
1¾ tazas de azúcar glass
1 cucharadita de vainilla
2 tazas de harina de trigo
1 taza de leche en polvo
¼ de taza de cocoa sin endulzar

1. Bata la mantequilla, la manteca, ¾ de taza de azúcar y la vainilla en un recipiente grande, a velocidad alta.

2. Agregue la harina, ½ taza de leche en polvo y la cocoa; bata a velocidad baja, hasta mezclar completamente. Refrigere durante varias horas o por toda la noche.

3. Caliente el horno a 180 °C. Forme bolitas con una cuchara. Colóquelas en charolas para hornear sin engrasar, con una separación de 5 cm entre sí.

4. Hornee de 14 a 16 minutos o hasta que hayan dorado ligeramente.

5. Mientras tanto, mezcle 1 taza de azúcar glass y ½ taza de leche en polvo en un recipiente mediano.

6. Retire las galletas de las charolas y deje enfriar por 5 minutos. Ruede las galletas sobre la mezcla de azúcar.   *Rinde unas 4 docenas de galletas*

Consejo: Sustituya 1 taza de azúcar glass y ½ taza de leche en polvo por 180 g de chocolate semiamargo en polvo. Bañe las galletas en chocolate derretido. Deje enfriar hasta que el chocolate esté firme.

Galletas Tortuga de Brownies

Galletas Solecito

¾ de taza de mantequilla suavizada
¾ de taza de azúcar
1 huevo
2¼ tazas de harina de trigo
¼ de cucharadita de sal
Ralladura de cáscara de ½ limón
1 cucharadita de jugo del limón
concentrado
Betún Real de Limón (receta más
adelante)
1 huevo batido
Pretzels en palitos delgados
Colorante vegetal amarillo
Gomitas en forma de media fruta y tiras
de goma

1. Con la batidora a velocidad alta, bata la mantequilla y el azúcar en un recipiente grande, hasta obtener una consistencia esponjosa. Agregue el huevo y bata bien.

2. Mezcle la harina, la sal y la cáscara de limón en un recipiente mediano. Incorpore a la mezcla de mantequilla. Revuelva con el jugo de limón concentrado. Refrigere durante 2 horas.

3. Prepare el Betún Real de Limón. Tape y deje reposar a temperatura ambiente. Caliente el horno a 180 °C. Engrase charolas para galletas.

4. Amase la pasta sobre una superficie enharinada y aplane hasta obtener un grosor de 1 cm. Corte las galletas utilizando un cortador redondo de 7.5 cm. Coloque las galletas sobre las charolas previamente preparadas. Barnice las galletas con el huevo batido. Acomode los pretzels alrededor de la galleta para que semejen los rayos del sol;

presione un poco. Hornee durante 10 minutos o hasta que hayan dorado ligeramente. Retire de las charolas y deje enfriar por completo.

5. Agregue el colorante al Betún Real de Limón. Ponga ½ taza de betún en una bolsa de plástico; corte una punta y úsela como una duya para hacer un círculo alrededor de cada galleta.

6. Agregue agua, 1 cucharada a la vez, al resto del betún, hasta que adquiera una consistencia adecuada para verter. Vierta el betún dentro del círculo que hizo en cada galleta.

7. Decore las galletas con las gomitas, como se muestra en la fotografía. Deje reposar durante 1 hora o hasta que estén secas.

Rinde unas 3 docenas de galletas

Betún Real de Limón

3¾ tazas de azúcar glass cernida
3 cucharadas de merengue en polvo
6 cucharadas de concentrado para preparar
limonada

Bata todos los ingredientes en un recipiente grande hasta obtener una consistencia suave.

Galletas Solecito

Las Mejores Galletas de Avena de Mamá

¾ de taza de manteca vegetal
1¼ tazas de azúcar morena
1 huevo
⅓ de taza de leche
1½ cucharaditas de vainilla
3 tazas de avena rápida sin cocer
1 taza de harina de trigo
½ cucharadita de bicarbonato de sodio
½ cucharadita de sal
¼ de cucharadita de canela en polvo
1 taza de nuez picada
⅔ de taza de coco rallado
⅔ de taza de ajonjolí

1. Caliente el horno a 180 °C. Engrase con manteca charolas para hornear. Prepare hojas de papel de aluminio para enfriar las galletas.

2. Mezcle la manteca, el azúcar morena, el huevo, la leche y la vainilla en un recipiente grande. Con la batidora a velocidad media, bata hasta mezclar bien.

3. Combine la avena, la harina, el bicarbonato de sodio, la sal y la canela. Agregue a la mezcla de manteca a velocidad baja hasta incorporar bien. Añada las nueces, el coco y las semillas de ajonjolí.

4. Ponga cucharadas de la masa sobre las charolas previamente preparadas, con una separación de 5 cm entre sí.

5. Hornee una charola a la vez a 180 °C, de 10 a 12 minutos o hasta que hayan dorado ligeramente. *No hornee de más.* Retire las galletas de la charola y deje enfriar por completo.

Rinde unas 2½ docenas de galletas

Barras de Jalea con Chispas de Crema de Cacahuate

1½ tazas de harina de trigo
½ taza de azúcar
¾ de cucharadita de polvo para hornear
½ taza (1 barra) de mantequilla o margarina fría
1 huevo batido
¾ de taza de jalea de uva
1⅔ tazas (285 g) de chispas de crema de cacahuate (maní)

Caliente el horno a 190 °C. Engrase un molde cuadrado de 23 cm. Mezcle la harina, el azúcar y el polvo para hornear. Con la batidora, corte la mantequilla hasta que se vean grumos gruesos. Ponga el huevo y revuelva bien. Separe la mitad de esta mezcla. Colóquela en el fondo del molde previamente preparado y presione un poco. Unte la jalea encima de la pasta. Espolvoree 1 taza de chispas de crema de cacahuate encima de la jalea. Mezcle ⅔ de taza de chispas a la masa que separó y colóquela encima. Hornee de 25 a 30 minutos o hasta que dore ligeramente. Retire de la charola y deje enfriar por completo. Corte en barras.

Rinde unas 16 barras

Barras de Jalea con Chispas de Crema de Cacahuate

Galletas de Plátano y Doble Chocolate

3 o 4 plátanos (bananas) muy maduros, pelados
2 tazas de hojuelas de avena
2 tazas de azúcar
1¾ tazas de harina de trigo
½ taza de cocoa sin endulzar
1 cucharadita de bicarbonato de sodio
½ cucharadita de sal
2 huevos ligeramente batidos
1¼ tazas de margarina derretida
1 taza de almendras tostadas y picadas
2 tazas de chispas de chocolate semiamargo

• Prepare 2 tazas de puré de plátano.

• Mezcle la avena, el azúcar, la harina, la cocoa, el bicarbonato de sodio y la sal. Agregue el puré de plátano, los huevos y la margarina; revuelva bien. Añada las almendras y las chispas de chocolate.

• Refrigere la masa durante 1 hora o hasta que adquiera una consistencia firme (si la masa se desliza durante el horneado, está demasiado blanda).

• Coloque ¼ de taza de masa para cada galleta, en una charola engrasada. Aplane ligeramente con una espátula.

• Hornee a 180 °C de 15 a 17 minutos o hasta que las galletas estén bien doradas. Retire de la charola y deje enfriar.

Rinde unas 2½ docenas de galletas (de 7.5 cm)

Galletas Sándwich de Brownie

GALLETAS DE BROWNIE

1 paquete de harina de trigo preparada para brownies de doble chocolate
1 huevo
3 cucharadas de agua
Azúcar

RELLENO

450 g de betún de queso crema
Colorante vegetal rojo (opcional)
½ taza de chispas de chocolate semiamargo

1. Caliente el horno a 190 °C.

2. Para las galletas de brownie, mezcle la harina preparada, el huevo y el agua. Forme 50 bolitas (de 2.5 cm) con la masa. Colóquelas sobre la charola previamente preparada, con una separación de 5 cm entre sí. Engrase la parte inferior de un vaso y póngalo sobre un plato con azúcar. Presione ligeramente las galletas con el fondo del vaso, hasta que tengan 1 cm de espesor. Repita el procedimiento con las galletas restantes. Hornee a 190 °C de 6 a 7 minutos o hasta que estén listas. Deje enfriar durante 1 minuto sobre las charolas. Páselas a rejillas de alambre. Deje enfriar completamente.

3. Para el relleno, pinte el betún con el colorante rojo, si lo desea. Agregue las chispas de chocolate.

4. Para formar el sándwich, ponga 1 cucharada de betún en una galleta y coloque otra encima. Presione ligeramente. Haga lo mismo con el resto de las galletas. *Rinde 25 sándwiches*

Galletas Sándwich de Brownie

Galletas de Girasol con Maceta

¾ de taza de mantequilla suavizada
¼ de taza de azúcar granulada
¼ de taza de azúcar morena
1 yema de huevo
1⅓ tazas de harina de trigo
¾ de cucharadita de polvo para hornear
⅛ de cucharadita de sal
450 g de betún de vainilla
Colorante vegetal amarillo
Azúcar glass
3.500 litros de helado (de cualquier sabor), suavizado
Betún café para decorar
24 galletas sándwich molidas
1 taza de coco rallado, pintado de verde

UTENSILIOS

1 cortador redondo para galletas de 7.5 cm
12 palitos de paleta (de 15 cm)
6 popotes (pajillas) de plástico
12 vasos desechables (de 190 ml)
1 duya y una punta delgada
12 macetas nuevas de 8 cm de diámetro y 8 cm de altura

1. Mezcle la mantequilla, el azúcar morena, el azúcar y la yema en un recipiente mediano. Agregue la harina, el polvo para hornear y la sal; mezcle bien. Tape y refrigere durante unas 4 horas o hasta que tenga una consistencia firme. Caliente el horno a 180 °C. Engrase charolas para galleta.

2. Sobre una superficie enharinada, aplane la masa hasta que tenga 1 cm de grosor. Corte las galletas y colóquelas sobre las charolas preparadas.

3. Hornee de 8 a 10 minutos o hasta que las orillas hayan dorado un poco. Retire del horno y deje enfriar completamente.

4. Pinte el betún de vainilla con el colorante amarillo. Separe ⅔ de taza del betún. Cubra y deje reposar. Agregue azúcar glass al betún que separó, para hacerlo muy espeso. Utilice aproximadamente 1 cucharada de este betún para pegar el palito a la parte posterior de cada galleta. Deje reposar para que el betún seque por completo.

5. Corte los popotes por la mitad. Coloque un popote verticalmente en el centro de cada vaso y rellene éste con helado alrededor del popote. (Asegúrese de que el popote sobresalga del helado.) Congele hasta que el helado se endurezca, de 3 a 4 horas.

6. Con el resto del betún, adorne a su gusto el frente de las galletas. Ponga el betún café en la duya; decore las galletas como se muestra en la fotografía.

7. Para servir, coloque los vasos llenos de helado en las macetas. Acomode las galletas sándwich molidas para que parezca tierra. Agregue el coco pintado alrededor del soporte para asemejar pasto. Corte el popote de manera que quede al nivel del helado; tenga cuidado de no llenar el popote con galleta o coco. Inserte el palito de paleta, con la galleta, dentro de la abertura de cada popote para que quede de pie en la maceta.

Rinde 12 porciones

Galletas de Girasol con Maceta

Abundantes
BARRAS DE GALLETA

Barritas de Choco-Fresa

¼ de taza (½ barra) de margarina
½ taza de azúcar
1 clara de huevo
1¼ tazas de harina de trigo
¼ de taza de cocoa
¾ de cucharadita de cremor tártaro
½ cucharadita de bicarbonato de sodio
Pizca de sal
½ taza de jalea de fresa
Glaseado Blanco (receta más adelante)

Caliente el horno a 190 °C. Rocíe un molde de 33×23×5 cm con aceite en aerosol. En un recipiente mediano, bata la margarina y el azúcar a velocidad media. Agregue la clara de huevo y bata bien. Mezcle la harina, la cocoa, el cremor tártaro, el bicarbonato de sodio y la sal. De manera gradual, añada a la mezcla de azúcar y revuelva bien. Presione la masa en el fondo del molde previamente preparado. Hornee de 10 a 12 minutos o hasta que esté listo. Deje enfriar completamente en la charola. Unte la jalea de manera uniforme. Corte las barras de la forma que desee. Prepare el Glaseado Blanco y adorne las barritas. Deje reposar hasta que enfríen.

Rinde 36 barritas

Glaseado Blanco

⅓ de taza de chispas de chocolate blanco
½ cucharadita de manteca (no utilice mantequilla, margarina, ni aceite)

En un recipiente pequeño para microondas, coloque las chispas de chocolate blanco y la manteca. Hornee en el microondas durante 30 segundos a temperatura ALTA (100%); bata en caso necesario. Hornee durante 15 segundos más a temperatura ALTA; bata bien, hasta obtener una mezcla suave. Use inmediatamente.

Barritas de Choco-Fresa

Maravillosas Barritas de Galleta

½ taza (1 barra) de margarina o mantequilla suavizada
1 taza compacta de azúcar morena
2 huevos grandes
1⅓ tazas de harina de trigo
1 taza de avena sin cocer, rápida o tradicional
⅓ de taza de cocoa sin endulzar
1 cucharadita de polvo para hornear
½ cucharadita de sal
¼ de cucharadita de bicarbonato de sodio
½ taza de nueces picadas
1 taza de chocolates confitados miniatura
½ taza de cerezas en conserva
¼ de taza de coco rallado

Caliente el horno a 180 °C. Engrase ligeramente un recipiente para hornear de 23×23×5 cm; en un tazón grande, bata a punto de crema el azúcar y la mantequilla hasta obtener una consistencia ligera y esponjosa; agregue los huevos. En un tazón mediano, mezcle la harina, la avena, la cocoa, el polvo para hornear, la sal y el bicarbonato de sodio. Agregue a la otra mezcla. Añada ¼ de taza de nueces y ¾ de taza de chocolates confitados. Reserve 1 taza de la masa y distribuya el resto en el molde para hornear. Combine la conserva, el coco y el resto de las nueces; distribuya uniformemente sobre la masa, dejando un espacio de 1.5 cm de la orilla. Ponga el resto de la masa que reservó y espolvoree los chocolates confitados restantes. Hornee de 25 a 30 minutos o hasta que esté firme cerca de las orillas. Deje enfriar completamente. Corte en barras. Guarde en un recipiente con tapa.

Rinde 16 barras

Barras Estilo "Menos Lavar Platos"

1 paquete (510 g) de masa para preparar galletas con chispas de chocolate
1 frasco (210 g) de crema de malvaviscos
½ taza de crema de cacahuate (maní)
1½ tazas de cereal de maíz tostado
½ taza de chocolates confitados miniatura

1. Caliente el horno a 180 °C. Engrase un molde de 33×23 cm. Desenvuelva la masa siguiendo las instrucciones del paquete.

2. Presione la masa en el molde. Hornee durante 13 minutos. Retire el molde del horno. Ponga cucharadas de la crema de malvaviscos y de la crema de cacahuate sobre la base de galleta caliente.

3. Hornee durante 1 minuto. Con cuidado, distribuya la crema de malvaviscos y la de cacahuate sobre la base de galleta. Espolvoree el cereal y los chocolates confitados sobre la mezcla de cremas.

4. Hornee por 7 minutos. Deje enfriar completamente y corte en barras de 5 cm.

Rinde 3 docenas de barras

Barras Estilo "Menos Lavar Platos"

Fabulosas Barras de Fruta

1½ tazas de harina de trigo
1½ tazas de azúcar
½ taza de puré de manzana
½ cucharadita de polvo para hornear
2 cucharadas de margarina
½ taza de manzana picada y pelada
½ taza de chabacanos (albaricoque) deshidratados
½ taza de arándanos rojos picados
1 huevo
1 clara de huevo
1 cucharadita de jugo de limón
½ cucharadita de extracto de vainilla
1 cucharadita de canela en polvo

1. Caliente el horno a 180 °C. Rocíe un molde de 33×23 cm con aceite en aerosol.

2. En un tazón mediano, mezcle 1¼ tazas de harina, ½ taza de azúcar, ⅓ de taza de puré de manzana y el polvo para hornear. Incorpore la margarina y córtela con un tenedor hasta que la mezcla tenga una apariencia de grumos.

3. En un tazón grande, combine la manzana, los chabacanos, los arándanos, el puré de manzana restante, el huevo, la clara de huevo, el jugo de limón y la vainilla.

4. En un tazón pequeño, combine el azúcar restante, ¼ de taza de harina y la canela. Agregue a la mezcla de frutas; bata hasta que se mezclen.

5. Distribuya uniformemente la mitad de la mezcla grumosa en el fondo del molde. Ponga la mezcla de fruta y cubra con el resto de la mezcla.

6. Hornee durante 40 minutos o hasta que dore ligeramente. Ponga a 10 cm de la fuente de calor durante 1 o 2 minutos o hasta que dore. Deje enfriar por 15 minutos. Corte en barras.

Rinde 16 porciones

Barras Fantasía de Doble Chocolate

2 tazas de galletas de chocolate molidas
⅓ de taza (5⅓ cucharadas) de mantequilla o margarina derretida
1 taza (450 ml) de leche condensada
1¾ tazas de chocolates confitados miniatura
1 taza de coco rallado
1 taza de nuez picada

Caliente el horno a 180 °C. En un recipiente grande, mezcle las galletas molidas y la mantequilla. Presione esta mezcla en el fondo de un molde de 33×23×5 cm. Vierta la leche condensada de manera uniforme encima de las galletas molidas. Mezcle los chocolates confitados y las nueces. Distribuya de manera uniforme sobre la leche condensada. Hornee de 25 a 30 minutos o hasta que esté listo. Deje enfriar completamente. Corte en barras. Conserve en un recipiente hermético.

Rinde 32 barras

Creativas Galletas de Sartén

2¼ tazas de harina de trigo
1 cucharadita de bicarbonato de sodio
½ cucharadita de sal
1 taza (2 barras) de mantequilla suavizada
¾ de taza de azúcar granulada
¾ de taza de azúcar morena
1 cucharadita de extracto de vainilla
2 huevos
2 tazas (360 g) de chocolate semiamargo en trocitos
Sabores opcionales, si lo desea (ver recetas más adelante)

Caliente el horno a 190 °C. **MEZCLE** la harina, el bicarbonato de sodio y la sal en un tazón mediano. **BATA** la mantequilla, el azúcar, el azúcar morena y el extracto de vainilla en un tazón grande. Agregue los huevos. Gradualmente, añada la mezcla de harina. Ponga los trozos de chocolate y los ingredientes para alguno de los sabores opcionales. Distribuya en un molde sin engrasar de 39×26×2.5 cm.

HORNEE a 190 °C de 18 a 20 minutos. Deje enfriar completamente en el molde sobre una rejilla de alambre. Corte en cuadros de 5 cm.
Rinde 35 cuadros

Galletas de Granola y Nuez: Agregue 2 tazas de granola, 1 taza de uvas pasa y 1 taza de nuez picada.

Galletas de Chabacano con Nuez de la India: Agregue 2 tazas de granola, 1 taza de chabacanos (albaricoque) deshidratados y 1 taza de nuez de la India tostada.

Galletas de Avena con Manzana: Disminuya la harina de trigo a 2 tazas. Agregue 2¼ tazas de avena instantánea sin cocer, 1 taza de manzanas peladas y picadas, y ¾ de cucharadita de canela.

Galletas de Piña y Zanahoria: Incremente la cantidad de harina de trigo a 2¾ tazas. Agregue ½ cucharadita de canela y ¼ de cucharadita de especias mixtas (allspice) y de nuez moscada. Añada 1 taza de zanahoria rallada, 1 lata (225 g) de piña en trocitos escurrida y ¾ de taza de germen de trigo.
Rinde 20 barras

Barras de Galleta Facilitas

24 galletas de trigo entero
1 taza de chispas de chocolate semiamargo
1 taza de coco en hojuelas
¾ de taza de nuez picada
1 lata (435 ml) de leche condensada

1. Caliente el horno a 180 °C. Engrase un molde de 33×23 cm.

2. Muela las galletas en un procesador de alimentos hasta obtener 2 tazas. Mezcle las galletas molidas, las chispas de chocolate, el coco y la nuez en un recipiente mediano; revuelva bien. Agregue la leche y bata con una cuchara.

3. Distribuya la masa de manera uniforme en el molde preparado. Hornee de 15 a 18 minutos o hasta que las orillas hayan dorado. Deje reposar en el molde hasta que se enfríen completamente. Corte barras de 3×3 cm.
Rinde 20 barras

Barras de Galleta Facilitas

Barras de Coco y Nuez

1¼ tazas de azúcar granulada
½ taza más 3 cucharadas de harina de trigo
1½ tazas de nuez finamente picada
¾ de taza (1½ barras) de margarina o
mantequilla suavizada
2 huevos grandes
1 cucharada de extracto de vainilla
1¾ tazas de chocolates confitados miniatura
1 taza de coco rallado

Caliente el horno a 180 °C. Engrase un molde de 33×23×5 cm. En un recipiente grande, mezcle ¾ de taza de azúcar, ½ taza de harina y ½ taza de nuez. Agregue ¼ de taza de mantequilla derretida y mezcle bien. Coloque esta mezcla en el fondo del molde preparado, presionando ligeramente. Hornee durante 10 minutos o hasta que esté listo. Deje enfriar un poco. En un recipiente grande, bata ½ taza de mantequilla y ½ taza de azúcar hasta obtener una consistencia cremosa. Añada los huevos y la vainilla. Incorpore 1 taza de chocolates confitados y la harina restante; mezcle bien. Vierta sobre la base que ya deberá estar fría. Revuelva el coco y 1 taza de nueces. Espolvoree sobre la masa. Ponga ¾ de taza de chocolates confitados encima del coco y la nuez. Hornee de 25 a 30 minutos o hasta que esté listo. Deje enfriar completamente. Corte las barras y guarde en un recipiente hermético. *Rinde 24 barras*

Galletas de Mantequilla Escocesa

1 paquete de harina preparada para torta de
vainilla
1 taza de mantequilla o margarina derretida

2 huevos
¾ de taza de azúcar morena
1 cucharadita de extracto de vainilla
1 paquete (360 g) de chispas de
mantequilla escocesa
1½ tazas de nueces picadas

1. Caliente el horno a 190 °C. Engrase un molde de 40×25×2.5 cm.

2. Mezcle la harina de trigo preparada, la mantequilla derretida, los huevos, el azúcar morena y la vainilla en un recipiente grande. Con la batidora eléctrica a velocidad baja, bata hasta obtener una consistencia suave y cremosa. Agregue las chispas de mantequilla y la nuez. Vierta en el molde. Hornee a 190 °C de 20 a 25 minutos o hasta que hayan dorado completamente. Deje enfriar y corte en barras. *Rinde 48 barras*

Consejo: Puede sustituir las chispas de mantequilla escocesa por chispas de crema de cacahuate o de chocolate.

Barras Crujientes de Cocoa

¼ de taza (½ barra) de margarina
¼ de taza de cocoa
5 tazas de malvaviscos miniatura
5 tazas de cereal de arroz inflado

Rocíe un molde de 33×23×5 cm con aceite en aerosol. En una sartén grande, derrita la mantequilla a fuego bajo; agregue la cocoa y los malvaviscos. Caliente a fuego bajo, moviendo constantemente, hasta que los malvaviscos se hayan derretido y la mezcla tenga una consistencia suave. Siga calentando durante 1 minuto, moviendo a menudo. Retire del fuego.

Añada el cereal y mueva hasta cubrirlo por completo. Coloque la mezcla en el molde previamente preparado. Deje enfriar por completo. Corte en barras.   *Rinde 24 barras*

Barras de Manzana y Chocolate

      3 tablillas (de 30 g cada una) de chocolate semiamargo
½ taza de mantequilla
⅔ de taza de puré de manzana sin endulzar
2 huevos batidos
1 taza de azúcar morena
1 cucharadita de vainilla
1 taza de harina de trigo
½ cucharadita de polvo para hornear
¼ de cucharadita de bicarbonato de sodio
½ taza de nuez picada
1 taza (180 g) de chispas de chocolate

Caliente el horno a 180 °C. Engrase un molde cuadrado de 23 cm. Derrita las chispas de chocolate y la mantequilla en una sartén a fuego bajo. Retire del fuego y deje enfriar. Mezcle el puré de manzana, los huevos, el azúcar y la vainilla. Combine la harina, el polvo para hornear y el bicarbonato de sodio en un recipiente. Revuelva los ingredientes secos con la mezcla de puré de manzana; bata bien y añada a la mezcla de chocolate. Vierta la masa en el molde previamente preparado. Espolvoree las nueces. Hornee de 25 a 30 minutos o hasta que esté listo. Retire del horno y coloque las chispas de chocolate encima. Deje reposar hasta que las chispas se hayan derretido y unte de manera uniforme sobre las barras. Deje enfriar y corte en barras de 5 cm.
Rinde unas 3 docenas de barras

Barras de Limón

BASE

1 taza de harina de trigo
½ taza de azúcar glass
¼ de taza de puré de manzana
2 cucharadas de margarina derretida

RELLENO DE LIMÓN

1 taza de azúcar granulada
2 claras de huevo
1 huevo
⅓ de taza de puré de manzana
1 cucharadita de ralladura de cáscara de limón
¼ de taza de jugo de limón
3 cucharadas de harina de trigo
½ cucharadita de polvo para hornear

1. Caliente el horno a 180 °C. Rocíe un molde cuadrado de 20 cm con aceite en aerosol.

2. Para la Base, mezcle 1 taza de harina y el azúcar glass. Agregue ¼ de taza de puré de manzana y la margarina. Bata con un tenedor hasta que la mezcla tenga una apariencia con grumos. Coloque en el fondo del molde y presione de manera uniforme. Hornee durante 10 minutos.

3. Para el Relleno de Limón, bata el azúcar granulada, las claras de huevo y el huevo a velocidad media hasta obtener una consistencia espesa. Añada ⅓ de taza de puré de manzana, la ralladura de limón, el jugo de limón, 3 cucharadas de harina y el polvo para hornear. Bata hasta mezclar bien. Vierta el relleno de limón sobre la base. Hornee de 20 a 25 minutos o hasta que haya dorado un poco. Corte 14 barras.
Rinde 14 porciones

Cuadros de Fruta y Avena

1 taza de harina de trigo
1 taza de avena rápida sin cocer
¾ de taza de azúcar morena
½ cucharadita de bicarbonato de sodio
¼ de cucharadita de sal
¼ de cucharadita de canela en polvo
⅓ de taza de mantequilla derretida
¾ de taza de conserva de chabacano
　　(albaricoque), cereza o cualquier otra
　　fruta

1. Caliente el horno a 180 °C. Rocíe un molde de 23 cm con aceite en aerosol.

2. Mezcle la harina, la avena, el azúcar morena, el bicarbonato de sodio, la sal y la canela en un tazón mediano; revuelva bien. Agregue la mantequilla; revuelva con un tenedor hasta que la mezcla esté grumosa. Reserve ¾ de taza de la mezcla para la cubierta. Coloque el resto de la mezcla grumosa en el molde preparado. Hornee de 5 a 7 minutos o hasta que esté ligeramente dorada. Unte las conservas sobre la base; espolvoree con la mezcla que reservó.

3. Hornee de 20 a 25 minutos o hasta que esté bien dorada. Deje enfriar completamente en el molde. Corte en 16 cuadros.

Rinde 16 porciones

Arco Iris Claros

1 taza (2 barras) de mantequilla o
　　margarina suavizada
1½ tazas de azúcar morena
1 huevo grande
1 cucharadita de extracto de vainilla
2 tazas de harina de trigo
½ cucharadita de bicarbonato de sodio
1¾ tazas de chocolates confitados miniatura
1 taza de nueces picadas

Caliente el horno a 180 °C. Engrase un molde de 33×23×5 cm. En un recipiente grande, bata la mantequilla y el azúcar hasta obtener una consistencia ligera y esponjosa. Agregue el huevo y la vainilla; bata bien. En un recipiente mediano, mezcle la harina y el bicarbonato de sodio. Añada a la mezcla de mantequilla y bata para revolver bien. La masa va a tener una consistencia dura. Ponga los chocolates confitados y la nuez. Unte esta mezcla en el molde previamente preparado. Hornee de 30 a 35 minutos o hasta que, al insertar en el centro un palillo, éste salga con grumos. *No hornee de más.* Deje enfriar completamente y corte las barras. Guarde en un recipiente hermético.

Rinde 24 barras

Cuadros de Fruta y Avena

Barras de Avena con Triple Capa de Chocolate

BASE

>   1 taza de avena sin cocer
>   ½ taza de harina de trigo
>   ½ taza de azúcar morena
>   ¼ de taza de puré de manzana
>   1 cucharada de margarina derretida
>   ¼ de cucharadita de bicarbonato de sodio

RELLENO

>   ⅔ de taza de harina de trigo
>   ½ cucharadita de polvo para hornear
>   ¼ de cucharadita de sal
>   ¾ de taza de azúcar granulada
>   ¼ de taza de puré de manzana
>   1 huevo
>   1 clara de huevo
>   2 cucharadas de cocoa sin endulzar
>   1 cucharada de margarina derretida
>   ½ cucharadita de extracto de vainilla
>   ¼ de taza de leche de mantequilla (leche
>   mazada) descremada

BETÚN

>   1 taza de azúcar glass
>   1 cucharada de cocoa sin endulzar
>   1 cucharada de leche descremada
>   1 cucharadita de café instantáneo

1. Caliente el horno a 180 °C. Rocíe un molde cuadrado de 20 cm con aceite en aerosol.

2. Para preparar la Base, mezcle la avena, ½ taza de harina, el azúcar morena, ¼ de taza de puré de manzana, 1 cucharada de margarina y el bicarbonato de sodio en un recipiente mediano.

Bata con tenedor hasta que la mezcla obtenga una consistencia grumosa. Presione de manera uniforme en el fondo del molde previamente preparado. Hornee durante 10 minutos.

3. Para preparar el Relleno, mezcle ⅔ de taza de harina, el polvo para hornear y la sal en un recipiente pequeño.

4. En un recipiente grande, mezcle el azúcar granulada, ¼ de taza de puré de manzana, el huevo entero, la clara de huevo, 2 cucharadas de cocoa, 1 cucharada de margarina y la vainilla.

5. Agregue la mezcla de harina a la de puré de manzana de manera alternada con la leche de mantequilla. Bata bien. Distribuya de manera uniforme sobre la base.

6. Hornee durante 25 minutos o hasta que, al insertar en el centro un palillo, éste salga limpio. Deje enfriar completamente.

7. Para preparar el Betún, combine el azúcar glass, 1 cucharadita de cocoa, la leche y el café instantáneo hasta obtener una consistencia suave. Distribuya de manera uniforme sobre las barras. Deje enfriar hasta que estén listas. Con la punta de un cuchillo, haga cortes sobre el betún. Corte en 14 barras.   *Rinde 14 porciones*

Barras de Avena con Triple Capa de Chocolate

Torta de Chocolate y Avena

1 taza (2 barras) de mantequilla suavizada
1 taza de azúcar glass
2 cucharaditas de extracto de vainilla
1½ tazas de harina de trigo
1 taza de avena sin cocer, rápida o
tradicional
¼ de taza de cocoa sin endulzar
1 cucharadita de canela en polvo
1¾ tazas de chocolates confitados miniatura

Caliente el horno a 160 °C. Engrase un molde de
33×23×5 cm. Bata la mantequilla y el azúcar
hasta obtener una consistencia ligera y esponjosa.
Agregue la vainilla. Mezcle la harina, la avena, la
cocoa y la canela; añada a la mezcla anterior.
Ponga 1 taza de los chocolates confitados y
presione ligeramente en el molde preparado.
Coloque encima ¾ de taza de chocolates
confitados. Hornee de 20 a 25 minutos o hasta
que esté listo. Deje enfriar por completo; corte en
triángulos. *Rinde de 36 a 48 barras*

Bocados de Caramelo

1 taza más 6 cucharadas de harina de trigo
1 taza de avena sin cocer, rápida o
tradicional
¾ de taza de azúcar morena
½ cucharadita de bicarbonato de sodio
¼ de cucharadita de sal
¾ de taza de mantequilla o margarina
derretida
1¾ tazas de chocolates confitados miniatura
1½ tazas de nueces picadas
1 frasco (360 g) de betún de caramelo

Caliente el horno a 180 °C. Mezcle 1 taza de
harina, la avena, el azúcar, el bicarbonato de
sodio y la sal. Combine con la mantequilla
derretida hasta formar una mezcla grumosa.
Presione la mitad de esta masa en el fondo de un
molde de 23×23×5 cm. Hornee durante
10 minutos. Ponga encima 1 taza de chocolates
confitados y 1 taza de nueces. Revuelva 6
cucharadas de harina con el betún de caramelo y
vierta encima de lo anterior. Mezcle el resto de la
mezcla grumosa, ¾ de taza de chocolates
confitados y ½ taza de nueces. Distribuya de
manera uniforme sobre la capa de caramelo.
Hornee de 20 a 25 minutos o hasta que haya
dorado. Deje enfriar completamente y corte en
cuadros. *Rinde 36 barras*

*De arriba abajo: Bocados de Caramelo y Torta de
Chocolate y Avena*

Barras de Fruta y Nuez

1 taza de harina de trigo cernida
1 taza de avena instantánea
⅔ de taza de azúcar morena
2 cucharaditas de bicarbonato de sodio
½ cucharadita de sal
½ cucharadita de canela
⅔ de taza de leche de mantequilla (leche mazada)
3 cucharadas de aceite vegetal
2 claras de huevo ligeramente batidas
1 manzana Golden Delicious, descorazonada y picada
½ taza de arándanos rojos deshidratados o uvas pasa picadas
¼ de taza de nueces picadas
2 cucharadas de coco rallado (opcional)

1. Caliente el horno a 190 °C. Engrase un molde cuadrado de 23 cm. En un recipiente grande, mezcle la harina, la avena, el azúcar morena, el bicarbonato de sodio, la sal y la canela.

2. Agregue la leche de mantequilla, el aceite y las claras de huevo. Bata con la batidora eléctrica a velocidad media. Incorpore la manzana, las frutas deshidratadas y las nueces. Distribuya de manera uniforme en el molde y espolvoree el coco, si lo desea. Hornee de 20 a 25 minutos o hasta que, al insertar en el centro un palillo, éste salga limpio. Deje enfriar y corte en 10 barras.

Rinde 10 barras

Gemas de Avena

2¾ tazas de avena sin cocer, rápida o tradicional
1 taza de harina de trigo
1 taza de azúcar morena
1 taza de nueces picadas
1 cucharadita de bicarbonato de sodio
1 taza (2 barras) de mantequilla o margarina derretida
1¾ tazas de chocolates confitados miniatura
1 paquete (de 500 a 600 g) de harina para brownie, preparada de acuerdo con las instrucciones del paquete

Caliente el horno a 180 °C. En un recipiente grande, mezcle la avena, la harina, el azúcar, las nueces y el bicarbonato de sodio; agregue la mantequilla y mezcle hasta obtener una consistencia grumosa. Añada los chocolates confitados y mezcle bien. Reserve 3 tazas de esta mezcla. Coloque el resto en el fondo de un molde de 38×25×2.5 cm. Con cuidado, vierta la mezcla preparada de brownie para formar una capa delgada sobre la base. Coloque la mezcla grumosa que reservó encima de la de brownie. Hornee de 20 a 30 minutos o hasta que, al insertar en el centro un palillo, éste salga con grumos. Deje enfriar completamente. Corte en barras. Guarde en un recipiente hermético.   *Rinde 48 barras*

Gemas de Chocolate con Naranja

⅔ de taza de manteca vegetal sólida
¾ de taza de azúcar morena
1 huevo grande
¼ de taza de jugo de naranja
1 cucharada de zumo de naranja
2¼ tazas de harina de trigo
½ cucharadita de polvo para hornear
½ cucharadita de bicarbonato de sodio
½ cucharadita de sal
1¾ tazas de chocolates confitados miniatura
1 taza de nueces picadas
⅓ de taza de mermelada de naranja
Glaseado de Vainilla (receta más adelante)

Caliente el horno a 180 °C. En un recipiente grande, mezcle la manteca y el azúcar hasta obtener una consistencia ligera y esponjosa. Agregue el huevo, el jugo de naranja y el zumo de naranja; bata bien. En un recipiente mediano, combine la harina, el polvo para hornear, el bicarbonato de sodio y la sal. Bata hasta obtener una mezcla cremosa. Añada los chocolates confitados y las nueces. Reserve 1 taza de la masa; coloque la restante en un molde de 33×23×5 cm. Unte la mermelada de manera uniforme encima de la masa a 1 cm de las orillas. Al azar, coloque cucharaditas de la masa que reservó sobre la mermelada. Hornee de 25 a 30 minutos o hasta que esté bien dorado. *No hornee de más*. Deje enfriar completamente y adorne con el Glaseado de Vainilla. Corte las barras y guarde en un recipiente hermético.

Rinde 24 barras

Glaseado de Vainilla: Mezcle 1 taza de azúcar glass y de 1 a 1½ cucharadas de agua tibia hasta obtener la consistencia deseada. Coloque en una bolsa de plástico y ciérrela. Corte una esquina de la bolsa (no más de 3 mm). Adorne las galletas.

Barras de Galleta Suaves

½ taza de margarina suavizada
1 taza de azúcar morena
2 huevos
3 sobres (40 g) de avena instantánea sabor manzana con canela
⅔ de taza de harina de trigo
2 cucharaditas de polvo para hornear
1 taza de nuez finamente picada

Caliente el horno a 180 °C. En un recipiente grande, con la batidora eléctrica a velocidad media, bata la margarina y el azúcar morena hasta obtener una consistencia cremosa. Agregue los huevos y bata hasta obtener una consistencia ligera y esponjosa. Añada la avena, la harina y el polvo para hornear. Incorpore las nueces; bata bien. Vierta la masa en un molde engrasado de 39×26×2.5 cm.

Hornee de 20 a 25 minutos o hasta que esté completamente dorado. Deje enfriar por completo en el molde. Corte en barras.

Rinde unas 48 barras

Gemas de Chocolate con Naranja

Sorprendentes
TESOROS ELEGANTES

Obleas con Chocolate

½ **taza de mantequilla**
½ **taza de azúcar**
⅓ **de taza de harina de trigo**
2 **cucharadas de crema espesa**
¼ **de cucharadita de sal**
⅔ **de taza de almendras tostadas molidas**
120 g **de chocolate semiamargo u oscuro, en trozos**

Caliente el horno a 190 °C. Engrase charolas para galletas. Mezcle la mantequilla, el azúcar, la harina, la crema y la sal en una sartén mediana pesada. Agregue las almendras y caliente a fuego medio; mueva constantemente hasta que la mantequilla se haya derretido. Retire del fuego y bata bien.

Coloque cucharaditas de la masa en las charolas previamente preparadas, con una separación de 15 cm entre sí. (Hornee sólo 4 galletas en cada charola.) Hornee de 6 a 8 minutos o hasta que las orillas de las galletas estén doradas. Deje reposar en las charolas durante 2 minutos. Retire las galletas de las charolas y deje enfriar completamente.*

Derrita el chocolate en una sartén pequeña, a fuego bajo, moviendo constantemente. Ladee la sartén para poder acumular el chocolate; sumerja la orilla de la galleta y dé vuelta para cubrirla toda. Deje reposar sobre papel encerado hasta que el chocolate esté firme.

Rinde unas 2½ docenas de galletas

*Para hacer el doblez de las galletas, coloque una cuchara de madera entre dos latas del mismo tamaño. Mientras las galletas están calientes, póngalas en el mango de la cuchara de modo que las orillas cuelguen y adquieran la forma de un taco. Deje enfriar completamente. Sumerja las orillas de la galleta en el chocolate.

Obleas con Chocolate

Galletas Sándwich de Frambuesa y Almendra

1 paquete de harina preparada para galletas
de azúcar
1 huevo
¼ de taza de aceite vegetal o de canola
1 cucharada de agua
¾ de cucharadita de extracto de almendra
Jalea de frambuesa sin semillas

1. Caliente el horno a 190 °C.

2. Combine la harina de trigo, el huevo, el aceite, el agua y el extracto de almendra en un recipiente grande. Bata hasta que quede bien mezclado. En charolas para galleta sin engrasar, vierta la mitad de la masa en cucharadas rasas con una separación de 5 cm entre sí. (Es una cantidad pequeña de masa, pero durante el tiempo de horneado se expandirá hasta obtener un tamaño de 3 a 4 cm.)

3. Coloque las almendras sobre papel encerado. Ponga cucharaditas rasas de la otra mitad de la masa sobre las almendras. Coloque la masa sobre charolas para hornear, con la parte almendrada hacia arriba, con una separación de 5 cm entre sí.

4. Hornee las galletas con y sin almendras, a 190 °C, durante 6 minutos o hasta que estén listas, pero no doradas. Deje enfriar durante 1 minuto sobre las charolas. Retire de las charolas y deje enfriar completamente.

5. Unte jalea en las galletas sin almendra y coloque encima una galleta con almendra. Presione para formar los sándwiches. Guarde en un recipiente hermético.

Rinde 6 docenas de galletas sándwich

Galletas Florentinas de Chocolate de Leche

⅔ de taza de mantequilla
2 tazas de avena instantánea, sin cocer
1 taza de azúcar granulada
⅔ de taza de harina de trigo
¼ de taza de jarabe de maíz, claro u oscuro
¼ de taza de leche
1 cucharadita de extracto de vainilla
¼ de cucharadita de sal
2 tazas de trozos de chocolate de leche

DERRITA la mantequilla en una sartén mediana; retire del fuego. Agregue la avena, el azúcar, la harina, el jarabe, la leche, el extracto de vainilla y la sal. Mezcle bien. Coloque cucharaditas de masa sobre una charola cubierta con papel de aluminio, separadas 7.5 cm entre sí. Esparza la masa con una espátula delgada.

HORNEE a 190 °C, de 6 a 8 minutos o hasta que haya dorado completamente. Deje enfriar sobre las charolas. Quite el papel de las galletas.

DERRITA el chocolate en el microondas, a temperatura MEDIA ALTA (70%), durante 1 minuto; revuelva. Siga horneando a intervalos de 10 a 20 segundos, moviendo hasta obtener una consistencia suave. Unte una capa delgada de chocolate derretido sobre la parte plana de la mitad de las galletas. Coloque encima las otras galletas.

Rinde unas 3½ docenas de galletas sándwich

Galletas Sándwich de Frambuesa y Almendra

Galletas de Brownie con Chocolate Blanco y Macadamia

1½ tazas de azúcar morena
⅔ de taza de manteca vegetal
1 cucharada de agua
1 cucharadita de vainilla
2 huevos
1½ tazas de harina de trigo
⅓ de taza de cocoa sin endulzar
½ cucharadita de sal
¼ de cucharadita de bicarbonato de sodio
1 taza de chocolate blanco en trozos
1 taza de nuez de macadamia picada

1. Caliente el horno a 190 °C. Prepare hojas de papel de aluminio para enfriar las galletas.

2. Ponga el azúcar morena, la manteca, el agua y la vainilla en un recipiente grande. Con la batidora a velocidad media, bata hasta incorporar bien. Agregue los huevos y bata bien.

3. Combine la harina, la cocoa, la sal y el bicarbonato de sodio. Añada a la mezcla de manteca. Bata a velocidad baja hasta que todo esté bien mezclado. Incorpore el chocolate blanco y la nuez de macadamia.

4. Coloque cucharadas de la masa sobre una charola sin engrasar, con una separación de 5 cm entre sí.

5. Hornee a 190 °C, una charola a la vez, de 7 a 9 minutos o hasta que las galletas estén listas. *No hornee de más.* Deje enfriar durante 2 minutos en las charolas. Coloque las galletas sobre el papel de aluminio y deje enfriar completamente.

Rinde unas 3 docenas de galletas

Galletas de Chocolate y Crema de Cacahuate

1 taza de mantequilla suavizada
½ taza de azúcar morena
¼ de taza de azúcar granulada
1 huevo
¼ de cucharadita de bicarbonato de sodio
2½ tazas de harina de trigo
½ taza de chispas de chocolate semiamargo y de chispas de crema de cacahuate (maní), picadas*

*Las chispas pueden picarse en el procesador de alimentos.

Bata la mantequilla, el azúcar y el azúcar morena en un recipiente grande hasta obtener una consistencia suave. Agregue el huevo y el bicarbonato de sodio; bata hasta que la mezcla esté ligera y esponjosa. Añada la harina; mezcle hasta que la masa tenga una consistencia suave. Ponga las chispas. Divida la masa en 4 partes. Con cada parte, forme un rollo de 3 cm de diámetro. Envuélvalos en plástico; refrigere hasta que estén firmes, durante 1 hora por lo menos o hasta por 2 semanas.

Caliente el horno a 190 °C. Engrase charolas para galletas o cúbralas con papel pergamino. Corte los rollos en rebanadas de 1 cm; colóquelas sobre las charolas preparadas con una separación de 5 cm entre sí. Hornee de 10 a 12 minutos o hasta que hayan dorado ligeramente. Póngalas en rejillas de alambre para que se enfríen por completo.

Rinde unas 6 docenas de galletas

Galletas de Brownie con Chocolate Blanco y Macadamia

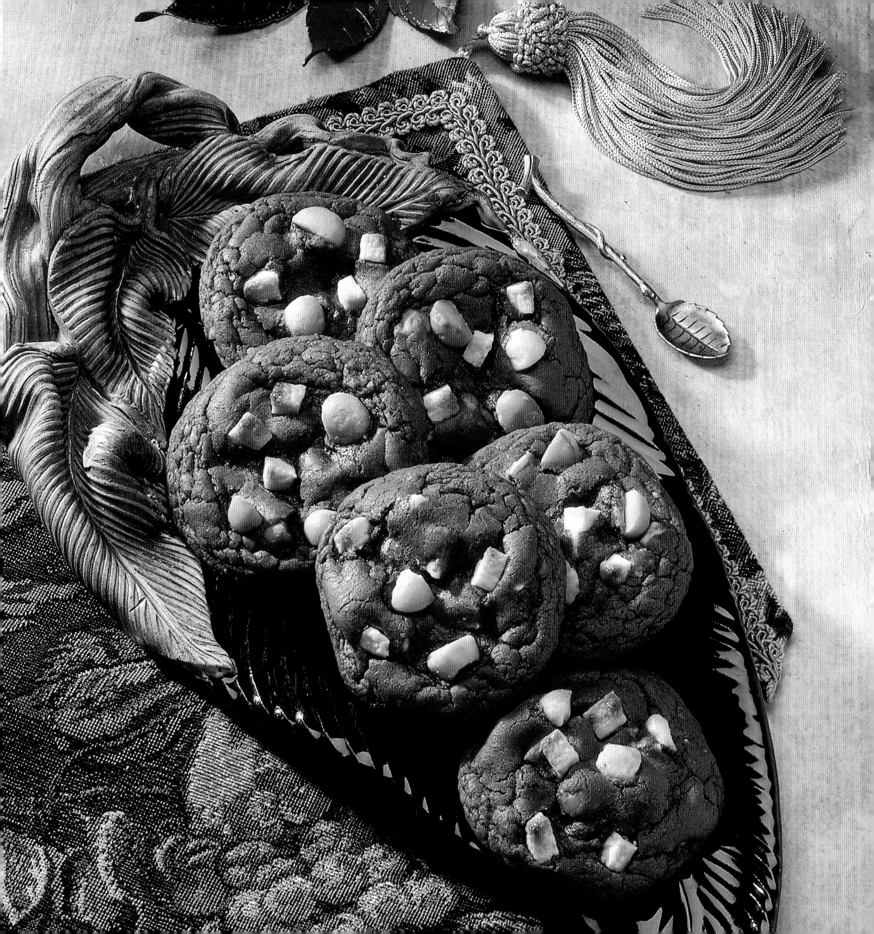

Galletas de Caramelo y Chispas de Chocolate

½ taza de jarabe de maíz claro
¼ de taza de manteca vegetal
1 cucharada de azúcar morena
1 ½ cucharaditas de ralladura de cáscara de naranja (opcional)
½ cucharadita de vainilla
½ taza de harina de trigo
¼ de cucharadita de sal
⅓ de taza de chispas de chocolate semiamargo
⅓ de taza de nueces picadas

1. Caliente el horno a 190 °C. Engrase charolas con manteca. Prepare hojas de papel de aluminio para enfriar las galletas.

2. Mezcle el jarabe, la manteca, el azúcar morena, la ralladura de naranja y la vainilla en un recipiente grande. Con la batidora a velocidad media, bata hasta incorporar bien.

3. Combine la harina y la sal. Añada a la mezcla anterior y bata a velocidad baja. Agregue las chispas de chocolate y la nuez. Coloque cucharaditas de masa sobre las charolas previamente preparadas, con una separación de 10 cm entre sí.

4. Hornee a 190 °C, una charola a la vez, durante 5 minutos o hasta que las orillas hayan dorado. (Las chispas y la nuez permanecerán en el centro mientras que la masa se extiende.) *No hornee de más.* Deje enfriar en las charolas durante 2 minutos. Levante la orilla de las galletas con una espátula. Tome la galleta y, con cuidado, doble hacia arriba las orillas haciendo que las nueces y las chispas se queden en el centro.

Pliegue la orilla para que quede en forma ondulada. Coloque las galletas sobre el papel de aluminio y deje enfriar completamente.

Rinde unas 3 docenas de galletas

Huellitas de Almendra y Frambuesa

1 taza de mantequilla o margarina suavizada
1 taza de azúcar
1 lata de relleno de almendra
2 yemas de huevo
1 cucharadita de extracto de almendra
2 ½ tazas de harina de trigo
½ cucharadita de polvo para hornear
½ cucharadita de sal
1 lata de relleno de frambuesa o fresa

Bata la mantequilla y el azúcar hasta obtener una consistencia esponjosa. Agregue el relleno de almendra, las yemas de huevo y el extracto de almendra; bata bien. Añada la harina, el polvo para hornear y la sal; hasta que la masa adquiera una consistencia suave. Tape y refrigere durante 3 horas por lo menos o por toda la noche. Caliente el horno a 180 °C. Forme bolitas de masa de 2.5 cm. Coloque sobre charolas para galletas sin engrasar, con una separación de 3 cm entre sí. Presione con el dedo pulgar el centro de cada bolita, de modo que se forme una hendidura profunda. Ponga ½ cucharadita de relleno de frambuesa en las hendiduras. Hornee de 11 a 13 minutos o hasta que las orillas de las galletas hayan dorado. Enfríe sobre las charolas durante 1 minuto. Páselas a una rejilla de alambre; deje enfriar.

Rinde unas 60 galletas

Galletas de Caramelo y Chispas de Chocolate

Galletas de Chocolate y Macadamia

¾ de taza (1½ barras) de margarina o
    mantequilla suavizada
⅔ de taza de azúcar morena
1 huevo grande
1 cucharadita de extracto de vainilla
1¾ tazas de harina de trigo
¾ de cucharadita de bicarbonato de sodio
¼ de cucharadita de sal
¾ de taza de nuez de macadamia picada
    (100 g)
½ taza de coco rallado
1¾ tazas de chocolates confitados miniatura

Caliente el horno a 180 °C. En un recipiente grande, bata la mantequilla y el azúcar hasta obtener una consistencia ligera y esponjosa. Agregue el huevo y la vainilla; bata bien. En un recipiente mediano, mezcle la harina, el bicarbonato de sodio y la sal. Incorpore a la mezcla de mantequilla. Añada las nueces y el coco. Ponga los chocolates confitados. Coloque cucharaditas abundantes de la masa en charolas sin engrasar, con una separación de 5 cm entre sí. Aplane ligeramente con la parte posterior de una cuchara. Hornee de 8 a 10 minutos o hasta que estén listas. *No hornee de más.* Deje enfriar durante 1 minuto en las charolas; retire de las charolas y deje enfriar por completo. Guarde en un recipiente hermético.

Rinde unas 4 docenas de galletas

Galletas de Brandy

¼ de taza de azúcar
¼ de taza de margarina
¼ de taza de jarabe de maíz, claro u oscuro
½ taza de harina de trigo
¼ de taza de nuez finamente picada
2 cucharadas de brandy
    Chocolate blanco y/o chocolate
    semiamargo derretido (opcional)

1. Caliente el horno a 180 °C. Engrase y enharine varias charolas para galletas.

2. En una sartén pequeña, mezcle el azúcar, la margarina y la miel. Hierva a fuego medio, moviendo constantemente. Retire del fuego. Agregue la harina, la nuez y el brandy. Coloque 12 medias cucharaditas de masa en las charolas preparadas, con una separación de 5 cm entre sí.

3. Hornee durante 6 minutos o hasta que doren. Deje enfriar de 1 a 2 minutos o hasta que las galletas se puedan levantar, aunque estén calientes y suaves. Retire las galletas con una espátula. Cúrvelas con el mango de una cuchara de madera. Si las galletas endurecen antes de enrollarlas, devuélvalas al horno para que se suavicen.

4. Si lo desea, adórnelas con chocolate derretido.

Rinde de 4 a 5 docenas de galletas

Tiempo de Preparación: 30 minutos

Tiempo de Horneado: 6 minutos más el tiempo para enrollar y enfriar

Galletas de Chocolate y Macadamia

Galletas de Crema de Cacahuate con Doble Chocolate

1¼ tazas de harina de trigo
½ cucharadita de polvo para hornear
½ cucharadita de bicarbonato de sodio
½ cucharadita de sal
½ cucharadita de mantequilla suavizada
½ taza de azúcar granulada
½ taza de azúcar morena
½ taza de crema de cacahuate (maní)
1 huevo
1 cucharadita de vainilla
Azúcar granulada adicional
1½ tazas de chispas de chocolate semiamargo
1½ tazas de chispas de chocolate de leche
3 cucharaditas de manteca

1. Caliente el horno a 180 °C.

2. Mezcle la harina, el polvo para hornear, el bicarbonato de sodio y la sal en un recipiente pequeño.

3. Coloque la mantequilla, ½ taza de azúcar y el azúcar morena en un recipiente grande. Con la batidora eléctrica a velocidad media, bata hasta obtener una consistencia ligera y esponjosa. Agregue la crema de cacahuate, el huevo y la vainilla. De manera gradual, añada la mezcla de harina; revuelva bien.

4. Forme bolitas de 3 cm y póngalas sobre charolas sin engrasar, con una separación de 5 cm entre sí. (Si la masa está demasiado suave para hacer las bolitas, refrigérela por 30 minutos.)

5. Meta un tenedor en el azúcar granulada adicional y presiónelo sobre las galletas, de modo que se formen cuadritos y se obtenga un grosor de 1 cm.

6. Hornee durante 12 minutos o hasta que estén listas. Deje reposar en la charola durante 2 minutos. Páselas a una rejilla de alambre y deje enfriar completamente.

7. En baño María con agua caliente, derrita las chispas de chocolate semiamargo con 1½ cucharaditas de manteca.

8. Sumerja una orilla de cada galleta hasta cubrir una tercera parte de ésta; colóquelas sobre papel encerado. Deje reposar hasta que el chocolate esté firme, durante unos 30 minutos.

9. De la misma manera, derrita las chispas de chocolate de leche con 1½ cucharaditas de manteca.

10. Sumerja el lado opuesto de las galletas hasta cubrir una tercera parte. Colóquelas sobre papel encerado. Deje reposar hasta que el chocolate esté firme, por unos 30 minutos.

11. Guarde las galletas entre dos hojas de papel encerado a temperatura ambiente o congélelas hasta por 3 meses.

Rinde unas 2 docenas de galletas (de 7.5 cm)

Galletas de Crema de Cacahuate con Doble Chocolate

Galletas de Avena con Jalea

1 taza de manteca vegetal
1½ tazas de azúcar morena
2 huevos
2 cucharaditas de extracto de almendra
2 tazas de harina de trigo
1 cucharadita de polvo para hornear
1 cucharadita de sal
½ cucharadita de bicarbonato de sodio
2½ tazas de avena rápida sin cocer (no instantánea ni tradicional)
1 taza de nuez finamente picada
1 frasco (360 g) de jalea de fresa
Azúcar para espolvorear

1. Mezcle la manteca y el azúcar morena en un recipiente grande. Con la batidora eléctrica a velocidad media, bata hasta incorporar. Agregue los huevos y el extracto de almendra; bata bien.

2. Combine la harina, el polvo para hornear, la sal y el bicarbonato de sodio. Añada a la mezcla de manteca y bata a velocidad baja. Ponga la avena y la nuez picada. Cubra y refrigere durante 1 hora por lo menos.

3. Caliente el horno a 180 °C. Engrase con manteca varias charolas para galletas. Prepare hojas de papel de aluminio para enfriar las galletas.

4. Extienda con el rodillo, una mitad de la masa a la vez, sobre una superficie enharinada, hasta que tenga 1 cm de grosor. Corte con un cortador para galletas redondo de 3 cm. Coloque 1 cucharadita de jalea en el centro de la mitad de las rueditas. Ponga encima la otra mitad de las rueditas. Presione las orillas para sellar. Haga pequeñas perforaciones en el centro de las galletas; espolvoree con azúcar. Acomódelas sobre las charolas, con una separación de 2.5 cm entre sí.

5. Hornee a 180 °C, una charola a la vez, de 12 a 15 minutos o hasta que doren ligeramente. *No hornee de más.* Deje enfriar durante 2 minutos sobre las charolas. Retire de las charolas y deje enfriar por completo.

Rinde unas 2 docenas de galletas

Polvorones de Crema de Cacahuate

1½ tazas de harina de trigo
1 taza de azúcar granulada
1 taza de mantequilla suavizada
½ taza de crema de cacahuate
2 cucharadas de azúcar morena
1 huevo
½ cucharadita de bicarbonato de sodio
1 cucharadita de vainilla
1 paquete (180 g) de almendras en trocitos

Caliente el horno a 180 °C. Engrase charolas para galletas. Mezcle la harina, el azúcar, la mantequilla, la crema de cacahuate, el azúcar morena, el huevo, el bicarbonato de sodio y la vainilla en un recipiente grande. Bata a velocidad media de 2 a 3 minutos. Agregue las almendras.

Forme bolitas de 2.5 cm y colóquelas sobre las charolas preparadas, con una separación de 5 cm entre sí. Aplane las galletas hasta que tengan un grosor de 1 cm. Hornee de 7 a 9 minutos o hasta que las orillas estén ligeramente doradas.

Rinde unas 4 docenas de galletas

Galletas de Avena con Jalea

Galletas de Listón de Naranja y Chocolate

1 taza de mantequilla suavizada
½ taza de azúcar
3 yemas de huevo
2 cucharaditas de ralladura de cáscara de naranja
1 cucharadita de extracto de naranja
2¼ tazas de harina de trigo
3 cucharadas de cocoa sin endulzar
1 cucharadita de vainilla
1 cucharadita de extracto de chocolate

Bata la mantequilla, el azúcar y las yemas de huevo, hasta obtener una consistencia ligera y esponjosa. Coloque la mitad de la mezcla en otro recipiente. En una de las mitades, agregue la ralladura de naranja, el extracto de naranja y 1¼ tazas de harina; mezcle hasta obtener una consistencia suave. Forme una bola con esta masa. En la otra mitad, añada la cocoa, la vainilla y el extracto de chocolate; bata hasta obtener una consistencia suave. Agregue 1 taza de harina y mezcle bien. Forme una bola y cubra. Refrigere durante 10 minutos. En una superficie enharinada, aplane por separado cada masa para formar un rectángulo de 30×10 cm. Ponga uno de los rectángulos encima del otro. Haga un corte a lo largo del centro de las masas. Levante la mitad de la masa y colóquela encima de la otra mitad, de modo que forme una tira larga de 4 capas. Presione las capas. Envuelva en plástico y refrigere durante 1 hora. Caliente el horno a 180 °C. Engrase charolas para galletas. Corte la masa en rebanadas de .7 cm. Colóquelas en las charolas con una separación de 5 cm entre sí. Hornee de 10 a 12 minutos o hasta que hayan dorado un poco. Ponga a enfriar en rejillas de alambre. *Rinde unas 5 docenas de galletas*

Cuadros de Mousse de Chocolate

¾ de taza más 2 cucharadas de harina de trigo
⅔ de taza más 3 cucharadas de azúcar granulada
¼ de taza (½ barra) de margarina fría
¼ de taza de cocoa
½ cucharadita de café instantáneo
¼ de cucharadita de polvo para hornear
½ taza de sustituto de huevo
½ cucharadita de extracto de vainilla
½ taza de yogur bajo en grasa
½ cucharadita de azúcar glass

Caliente el horno a 180 °C. Mezcle ¾ de taza de harina con 3 cucharadas de azúcar. Agregue la margarina y, con 2 cuchillos, córtela hasta que se formen grumos pequeños. Coloque esta mezcla en el fondo de un molde cuadrado de 20 cm, presionando ligeramente. Hornee durante 15 minutos o hasta que esté dorada. *Reduzca la temperatura del horno a 150 °C.*

Mezcle ⅔ de taza de azúcar, la cocoa, 2 cucharadas de harina, el café instantáneo y el polvo para hornear. Agregue el sustituto de huevo y la vainilla; con la batidora a velocidad media, bata hasta revolver bien. Añada el yogur y bata hasta incorporar. Vierta sobre la base preparada.

Hornee durante 30 minutos o hasta que el centro esté listo. Deje enfriar en el molde. Corte en cuadros. Si lo desea, ponga encima pequeños recortes de papel. Espolvoree azúcar glass. Con cuidado, retire los recortes. Tape y guarde en el refrigerador. *Rinde 16 cuadros*

Cuadros de Mousse de Chocolate

Galletas Ravioli Rellenas de Nuez

RELLENO

    1 taza de azúcar morena
    ¼ de taza de mantequilla derretida
    ½ taza de nueces picadas
    2 cucharadas de harina de trigo

MASA DE MANTEQUILLA

    1½ tazas de mantequilla suavizada
    ½ taza de azúcar granulada
    ½ taza de azúcar morena
    2 yemas de huevo
    2½ tazas de harina de trigo
    1½ cucharaditas de polvo para hornear
    ¼ de cucharadita de sal

1. Para el Relleno, mezcle el azúcar morena y la mantequilla derretida en un recipiente grande. Agregue la nuez y la harina; revuelva bien.

2. Coloque la mezcla sobre papel encerado y forme un cuadro de 18 cm. Corte en 36 piezas de 3 cm. Refrigere durante 1 hora o por toda la noche.

3. Para la Masa de Mantequilla, mezcle la mantequilla, el azúcar, el azúcar morena y las yemas de huevo en un recipiente mediano. Añada la harina, el polvo para hornear y la sal; mezcle bien. Tape; refrigere durante 4 horas o hasta que esté firme. Aplane la mitad de la masa sobre una hoja de papel encerado bien enharinada hasta obtener un cuadro de 30 cm.

4. Haga lo mismo con la otra mitad de la masa. Si la masa se suaviza demasiado, refrigérela por 1 hora.

5. Caliente el horno a 180 °C. De una de las capas de masa, corte 36 cuadros, a intervalos de 5 cm. Coloque 1 cuadro de relleno en el centro de los cuadros.

6. Con cuidado, ponga una segunda capa de masa sobre el relleno. Presione con suavidad. Corte con un cuchillo o un cortador para raviolis. Pase los raviolis a charolas para galletas sin engrasar.

7. Hornee de 14 a 16 minutos o hasta que hayan dorado un poco. Deje enfriar en las charolas durante 5 minutos. Retire de las charolas y deje enfriar completamente.

Rinde 3 docenas de galletas

Consejo: Para dar un sabor diferente, rellene las galletas ravioli con cuadros de 2.5 cm de chocolate semiamargo, en lugar de la mezcla de azúcar y nueces. Omita los pasos 1 y 2.

Galletas Ravioli Rellenas de Nuez

Pan de Chocolate y Almendras

    3 tazas de harina de trigo
    ½ taza de cocoa sin endulzar
    2 cucharaditas de polvo para hornear
    ½ cucharadita de sal
    1 taza de azúcar granulada
    ⅔ de taza de margarina suavizada
    ¾ de taza de sustituto de huevo
    1 cucharadita de extracto de almendra
    ½ taza de almendras blanqueadas, tostadas y
        picadas
        Glaseado de Azúcar Glass (receta más
        adelante)

En un recipiente mediano, combine la harina, la cocoa, el polvo para hornear y la sal.

Con la batidora eléctrica a velocidad media, en un recipiente grande, bata el azúcar y la margarina durante 2 minutos o hasta obtener una consistencia cremosa. Agregue el sustituto de huevo y el extracto de vainilla; bata bien. A velocidad baja, incorpore poco a poco la mezcla de harina. Añada las almendras.

Sobre una charola engrasada, forme dos troncos de masa de 30×6 cm. Hornee a 180 °C, de 25 a 30 minutos o hasta que, al insertar en el centro un palillo, éste salga limpio. Retire de la charola; deje enfriar durante 15 minutos.

Con un cuchillo para pan, corte diagonalmente cada barra en 12 rebanadas de 2.5 cm. Coloque las rebanadas, con el lado cortado hacia arriba, en la misma charola. Hornee a 180 °C de 12 a 15 minutos de cada lado o hasta que las

rebanadas estén crujientes y las orillas estén doradas. Retire de la charola y deje enfriar completamente. Adorne con el Glaseado de Azúcar Glass.   *Rinde 2 docenas de galletas*

Glaseado de Azúcar Glass: En un recipiente pequeño, mezcle 1 taza de azúcar y de 5 a 6 cucharadas de agua; bata hasta suavizar.

Besos de Cocoa

    1 taza (2 barras) de mantequilla suavizada
    ⅔ de taza de azúcar
    1 cucharadita de extracto de vainilla
    1⅔ tazas de harina de trigo
    ¼ de taza de cocoa
    1 taza de nueces finamente picadas
    1 bolsa (270 g) de besos de chocolate
        Azúcar glass

En un recipiente grande, bata la mantequilla, el azúcar y la vainilla hasta obtener una consistencia cremosa. Combine la harina y la cocoa; gradualmente, agregue a la mezcla de mantequilla, batiendo hasta incorporar bien. Refrigere la masa durante 1 hora o hasta que esté lo suficientemente firme como para amasarla. Caliente el horno a 190 °C. Retire las envolturas de los chocolates. Cubra cada chocolate con una cucharada de masa. Forme bolitas. Coloque sobre charolas para galletas sin engrasar. Hornee de 10 a 12 minutos o hasta que estén listas. Deje enfriar ligeramente, durante 1 minuto y retire de la charola. Deje enfriar completamente. Espolvoree con azúcar glass. Antes de servir, ruédelas en azúcar glass, si lo desea.
                  Rinde unas 4½ docenas de galletas

Pan de Chocolate y Almendras

Cuadros de Chocolate y Nuez con Especias

BASE DE GALLETA

1 taza de harina de trigo
½ taza de azúcar morena
½ cucharadita de bicarbonato de sodio
¼ de taza (½ barra) de margarina o mantequilla suavizada

CUBIERTA

1 paquete (225 g) de chocolate semiamargo
2 huevos grandes
¼ de taza de azúcar morena
¼ de taza de jarabe de maíz claro
2 cucharadas de salsa inglesa
1 cucharada de extracto de vainilla
1½ tazas de nuez picada

Caliente el horno a 190 °C. Para preparar la base de galleta, mezcle la harina, ½ taza de azúcar y el bicarbonato de sodio en un procesador de alimentos. Agregue la mantequilla. Procese durante 30 segundos o hasta que se formen grumos finos. Distribuya de manera uniforme en el fondo de un molde engrasado de 23 cm. Hornee por 15 minutos.

Mientras tanto, para preparar la cubierta, hornee el chocolate en el microondas, a temperatura ALTA (100%), hasta que se derrita; mueva hasta que tenga una consistencia suave.

Coloque los huevos, ¼ de taza de azúcar, el jarabe de maíz, la salsa inglesa y la vainilla en el procesador de alimentos o en el recipiente de la batidora. Procese o bata hasta incorporar. Agregue el chocolate derretido. Bata hasta suavizar. Añada 1 taza de nueces. Vierta la mezcla de chocolate sobre la base de galleta. Espolvoree encima las nueces restantes. Hornee por

40 minutos o hasta que, al insertar en el centro un palillo, éste salga con grumos. (La galleta estará un poco esponjada.) Deje enfriar completamente. Para servir, corte en cuadros.

Rinde 16 porciones

Galletas de Avena Bañadas con Chocolate

2 tazas de la avena sin cocer, rápida o tradicional
¾ de taza de azúcar morena
½ taza de aceite vegetal
½ taza de nuez finamente picada
1 huevo
2 cucharaditas de ralladura de cáscara de naranja
¼ de cucharadita de sal
1 paquete (260 g) de chispas de chocolate de leche

Mezcle la avena, el azúcar, el aceite, la nuez, el huevo, la ralladura de naranja y la sal. Tape. Refrigere durante toda la noche.

Caliente el horno a 180 °C. Engrase charolas para galletas o cúbralas con papel pergamino. Forme bolitas de la masa del tamaño de canicas. Colóquelas sobre la charola preparada, con una separación de 5 cm entre sí. Hornee de 10 a 12 minutos o hasta que estén doradas y crujientes. Deje enfriar por 10 minutos. Mientras tanto, derrita las chispas de chocolate en baño María. Sumerja la parte superior de las galletas en el chocolate derretido. Colóquelas sobre el papel encerado y deje enfriar hasta que el chocolate esté firme.

Rinde unas 6 docenas de galletas

Cuadros de Chocolate y Nuez con Especias

Lunas de Limón

1 taza (2 barras) de mantequilla o
   margarina suavizada
1½ tazas de azúcar glass
½ cucharadita de extracto de limón
½ cucharadita de zumo de limón
2 tazas de harina para torta
½ taza de almendras o nueces finamente
   picadas
1 cucharadita de canela en polvo
½ cucharadita de cardamomo
½ cucharadita de nuez moscada molida
1¾ tazas de chocolates confitados miniatura

Caliente el horno a 190 °C. Engrase charolas
para galletas. En un recipiente grande, bata a
punto de crema la mantequilla y ½ taza de azúcar.
Agregue el extracto y el zumo de limón; bata
hasta incorporar. En un recipiente mediano,
mezcle la harina, la nuez, la canela, el
cardamomo y la nuez moscada. Añada los
chocolates confitados. Con una cucharada de
masa a la vez, forme las lunas; colóquelas en las
charolas preparadas, con una separación de 5 cm
entre sí. Hornee de 12 a 14 minutos o hasta que
las orillas estén doradas. Deje enfriar por
2 minutos en las charolas. Espolvoree con el
azúcar restante. Deje enfriar completamente.
Guarde en un recipiente hermético.

Rinde unas 2 docenas de galletas

Galletas de Chocolate con Cereza

2 tablillas (de 30 g cada una) de chocolate
   amargo
½ taza de mantequilla suavizada
½ taza de azúcar
1 huevo
2 tazas de harina para torta
1 cucharadita de vainilla
¼ de cucharadita de sal
   Cerezas en almíbar (unas 48), escurridas
1 taza (180 g) de chispas de chocolate
   semiamargo o de leche

Derrita el chocolate amargo en baño María.
Retire del fuego y deje enfriar. En un recipiente
grande, bata la mantequilla y el azúcar hasta
obtener una consistencia ligera. Agregue el huevo
y el chocolate derretido; bata hasta obtener una
consistencia esponjosa. Añada la harina, la
vainilla y la sal; mezcle bien. Tape; refrigere hasta
que la masa esté firme, durante 1 hora.

Caliente el horno a 200 °C. Engrase charolas
para galletas o cúbralas con papel pergamino.
Forme bolitas de masa de 2.5 cm. Colóquelas
sobre las charolas preparadas, con una separación
de 5 cm entre sí. Con el nudillo de un dedo, haga
hendiduras profundas en el centro de cada bolita.
Coloque una cereza en cada hendidura. Hornee
durante 8 minutos o hasta que estén listas.
Mientras tanto, ponga las chispas de chocolate en
baño María; bata hasta que se derritan. Ponga las
galletas en rejillas de alambre y báñelas con el
chocolate. Refrigere hasta que chocolate esté
firme.   *Rinde unas 4 docenas de galletas*

Lunas de Limón

Celestiales

CREACIONES FESTIVAS

Corazones de San Valentín

½ taza de mantequilla o margarina suavizada
¾ de taza de azúcar granulada
2 huevos
1 cucharadita de extracto de vainilla
2⅓ tazas de harina de trigo
1 cucharadita de polvo para hornear
    Dulces rojos molidos (aproximadamente
        ⅓ de taza)
    Betún (opcional)

En un recipiente, bata la mantequilla y el azúcar a punto de crema. Agregue los huevos y la vainilla. Cierna el azúcar y el polvo para hornear. De manera gradual, añada la mezcla de harina hasta obtener una consistencia muy dura. Tape y refrigere durante 3 horas o por toda la noche.

Caliente el horno a 190 °C. Amase y extienda la masa hasta que tenga un grosor de 1 cm. Para evitar que las galletas se pongan demasiado duras, no incorpore mucha harina. Corte las galletas con un cortador en forma de corazón. Coloque las galletas en una charola cubierta con papel de aluminio. Con un cortador de galletas pequeño en forma de corazón, corte el centro de las galletas y retire la masa. Rellene los huecos con los dulces molidos. Hornee de 7 a 9 minutos o hasta que las galletas hayan dorado ligeramente y el dulce se haya derretido. *No hornee de más.*

Retire del horno; de inmediato, quite el papel de aluminio. Deje enfriar por completo sobre el aluminio. Si lo desea, use una duya para decorar con betún las orillas.

Rinde unas 2½ docenas de galletas

Corazones de San Valentín

Alegres Galletas de Pascua

1 taza de mantequilla suavizada
2 tazas de azúcar glass
1 huevo
2 cucharaditas de ralladura de cáscara de limón
1 cucharadita de vainilla
3 tazas de harina de trigo
½ cucharadita de sal
Betún Real (receta más adelante)
Colorantes vegetales betunes

Bata la mantequilla y el azúcar hasta obtener una consistencia esponjosa. Agregue el huevo, la ralladura de limón y la vainilla; mezcle bien. En un recipiente, combine la harina de trigo y la sal. Incorpore a la mezcla de mantequilla. Divida la masa en 2 porciones. Cubra con plástico y refrigere por toda la noche. Caliente el horno a 190 °C. Sobre una superficie enharinada, extienda la masa hasta que tenga un grosor de 1 cm. Corte las galletas con un cortador de galletas con figuras como huevos, conejitos y tulipanes. Coloque sobre charolas para galletas sin engrasar. Hornee hasta que las orillas estén ligeramente doradas. Retire de la charola y deje enfriar. Prepare el Betún Real. Decore a su gusto. Deje reposar hasta que el betún esté firme.   *Rinde 4 docenas de galletas*

Betún Real

1 clara de huevo, a temperatura ambiente
2 a 2½ tazas de azúcar glass cernida
½ cucharadita de extracto de almendra

Bata la clara de huevo hasta que esponje. Poco a poco, agregue 2 tazas de azúcar glass y el extracto de almendra; bata hasta humedecer. A velocidad alta, bata a punto de turrón.

Galletitas de Cocoa con Almendra

¾ de taza (1½ barras) de margarina suavizada
1 lata (400 ml) de leche condensada
2 huevos
1 cucharadita de extracto de vainilla
½ cucharadita de extracto de almendra
2¾ tazas de harina de trigo
⅔ de taza de cocoa
2 cucharaditas de polvo para hornear
½ cucharadita de bicarbonato de sodio
½ taza de almendras picadas
Glaseado de Chocolate (receta página 14)

Bata la margarina, la leche condensada, los huevos y los extractos. Agregue la harina, la cocoa, el polvo para hornear y el bicarbonato de sodio; bata hasta que todo quede bien mezclado. Incorpore las almendras. Divida la masa en 4 porciones iguales. Envuelva en plástico y aplane. Refrigere hasta que esté lo suficientemente firme como para amasarla, durante unas 2 horas.

Caliente el horno a 190 °C. Engrase charolas para galletas. Extienda la masa, 1 porción a la vez (mantenga la masa restante en el refrigerador), hasta que tenga un espesor de 1 cm. Córtela con las formas deseadas. Coloque sobre las charolas preparadas. Hornee de 6 a 8 minutos o hasta que estén listas. Retire de la charola y deje enfriar completamente. Adorne con el Glaseado de Chocolate. Guarde a temperatura ambiente en un recipiente hermético.
       Rinde unas 6 docenas de galletas (de 7.5 cm)

Alegres Galletas de Pascua

Galletas de Felicitación

½ taza (1 barra) de mantequilla suavizada
¾ de taza de azúcar
1 huevo
1 cucharadita de extracto de vainilla
1½ tazas de harina de trigo
⅓ de taza de cocoa
½ cucharadita de polvo para hornear
½ cucharadita de bicarbonato de sodio
¼ de cucharadita de sal
Betún Decorativo (receta más adelante)

Bata la mantequilla, el azúcar, el huevo y la vainilla, hasta obtener una consistencia ligera y esponjosa. Mezcle la harina, la cocoa, el bicarbonato de sodio, el polvo para hornear y la sal. Incorpore a la mezcla de mantequilla; revuelva bien. Refrigere durante 1 hora o hasta que esté lo suficientemente firme como para amasarla. Para el patrón, corte un rectángulo de cartulina de 6×10 cm; envuélvalo con plástico.

Caliente el horno a 180 °C. Sobre una superficie enharinada o entre dos hojas de papel encerado, extienda la masa hasta que tenga un grosor de . 7 cm. Coloque el patrón sobre la masa y corte alrededor con un cuchillo afilado. (Guarde los recortes de la masa y úselos para más galletas.) Con cuidado, coloque las galletas sobre una charola engrasada. Hornee de 8 a 10 minutos o hasta que estén listas. Deje enfriar durante 1 minuto sobre la charola. (Si las galletas pierden su forma, con un cuchillo quite las orillas irregulares mientras las galletas están calientes.) Con cuidado, ponga a enfriar las galletas en una rejilla de alambre. Repita el procedimiento con la masa restante. Prepare el Betún Decorativo; llene una duya y ponga los nombres o las felicitaciones en las galletas; adorne a su gusto.

Rinde unas 12 galletas

Betún Decorativo

3 tazas de azúcar glass
⅓ de taza de manteca
2 o 3 cucharadas de leche
Colorante vegetal (opcional)

Bata el azúcar y la manteca. Poco a poco, agregue la leche, batiendo hasta obtener una consistencia suave y espesa. Divida el betún en dos recipientes. Pinte con los colorantes, si lo desea. Cúbralos hasta que vaya a utilizarlos.

Barras de Calabaza

1 paquete de harina preparada para torta de dos capas
1 lata (450 g) de calabaza
¾ de taza de aderezo de mayonesa
3 huevos
Azúcar glass cernida
Betún de Vainilla
Gomitas verdes y rojas, rebanadas

Con la batidora a velocidad media, mezcle bien los primeros 4 ingredientes. Vierta en un molde engrasado de 40×25×2.5 cm. Hornee a 180 °C de 18 a 20 minutos o hasta que las orillas se empiecen a desprender del molde. Deje enfriar. Espolvoree con el azúcar. Corte en barras. Decore con los betunes y las gomitas.

Rinde unas 3 docenas de barras

Galletas de Felicitación

Galletas de Dulce de Maíz

¾ de taza de mantequilla suavizada
¼ de taza de azúcar granulada
¼ de taza de azúcar morena
1 yema de huevo
1¾ tazas de harina de trigo
¾ de cucharadita de polvo para hornear
⅛ de cucharadita de sal
   Glaseado para Galletas (receta más adelante)
   Colorantes vegetales amarillo y naranja

Mezcle la mantequilla, el azúcar, el azúcar morena y la yema de huevo. Agregue la harina de trigo, el polvo para hornear y la sal. Mezcle bien. Tape; refrigere hasta que esté firme. Caliente el horno a 180 °C. En una superficie enharinada, extienda la masa hasta que tenga un grosor de .7 cm. Corte las galletas en la forma que se muestra. Coloque las galletas en charolas sin engrasar. Hornee hasta que las orillas estén doradas. Retire de las charolas y deje enfriar. Prepare el Glaseado para Galleta. Coloque rejillas de alambre sobre charolas para hornear cubiertas con hojas de papel encerado. Divida el glaseado para galletas en tercios; póngalo en diferentes recipientes. Pinte ⅓ del glaseado de color amarillo; otro, de color naranja; el tercero quedará blanco. Con una cuchara, coloque los glaseados sobre las galletas como se aprecia en la fotografía. Deje reposar hasta que el glaseado esté firme. *Rinde unas 2 docenas de galletas*

Glaseado para Galletas

4 tazas de azúcar glass
4 a 6 cucharadas de leche

Mezcle el azúcar glass y suficiente leche, una cucharada la vez, para hacer un glaseado espeso pero fluido.

Galletas Murciélago: Omita los colorantes amarillo y naranja. Prepare la receta según las instrucciones, pero corte la masa en forma de murciélagos. Hornee según las instrucciones. Coloree de negro el glaseado y vierta sobre las galletas. Decore con dulces.

Tradicionales Galletas de Melaza

4 tazas de harina de trigo cernida
2 cucharaditas de bicarbonato de sodio
1½ cucharaditas de jengibre molido
½ cucharadita de canela en polvo
⅛ de cucharadita de sal
1½ tazas de melaza
½ taza de manteca derretida
¼ de taza de mantequilla derretida
⅓ de taza de agua hirviente
   Azúcar

Mezcle la harina de trigo, el polvo para hornear, las especias y la sal. En un recipiente, revuelva la melaza, la manteca, la mantequilla y el agua. Agregue los ingredientes secos a la mezcla de melaza. Bata bien. Tape; refrigere hasta obtener una consistencia firme. Extienda la masa sobre una superficie enharinada hasta que tenga un grosor de .7 cm. Con cortadores de galletas de 8 cm, corte figuras diversas; espolvoree con azúcar. Coloque las galletas sobre charolas sin engrasar, separadas 5 cm entre sí. Hornee a 190 °C durante unos 12 minutos.

Rinde unas 3 docenas de galletas

De arriba abajo: Galletas Murciélago y Galletas de Dulce de Maíz

Árbol de Navidad de Galletas

GALLETAS

½ taza de manteca vegetal

⅓ de taza de mantequilla o margarina suavizada

2 yemas de huevo

1 cucharadita de extracto de vainilla

1 paquete de harina preparada para torta de chocolate o vainilla

1 cucharada de agua

BETÚN

1 paquete (450 g) de betún de vainilla

Colorante vegetal verde

Cristales de azúcar rojos y verdes para adornar

Dulces de diferentes colores para adornar

Caliente el horno a 190 °C.

Para las Galletas, combine la manteca, la mantequilla, las yemas de huevo y el extracto de vainilla. Poco a poco, agregue la harina para torta. Añada el agua, 1 cucharadita a la vez, hasta que la masa tenga una consistencia firme. Divida la masa en 4 bolas. Con la mano, aplane una de las masas hasta que tenga un grosor de .7 cm. Corte la masa en forma de estrellas de tamaños progresivos. Repita la operación con la masa restante. Hornee las galletas grandes en una charola sin engrasar. Hornee de 6 a 8 minutos o hasta que las orillas estén ligeramente doradas. Deje enfriar durante 1 minuto. Retire de la charola. Repita el procedimiento con las galletas chicas; verifique el grado de cocción en el tiempo mínimo de horneado.

Para el Betún, coloree el betún de vainilla con el colorante verde. Adorne las galletas y vaya colocándolas una encima de otra, de las más grandes hasta las pequeñas. Gire las galletas para alternar los picos de las estrellas. Decore al gusto con los cristales de azúcar y los dulces.

Rinde de 2 a 3 docenas de galletas

Galletas de Jengibre

½ taza de manteca

⅓ de taza de azúcar morena

¼ de taza de melaza oscura

1 huevo

½ cucharadita de vainilla

1½ tazas de harina de trigo

½ cucharadita de bicarbonato de sodio

¼ de cucharadita de polvo para hornear

½ cucharadita de sal

1 cucharadita de canela en polvo

½ cucharadita de jengibre molido

1. Con la batidora a velocidad alta, bata la manteca, el azúcar morena, la melaza, la clara de huevo y la vainilla hasta obtener una consistencia suave. Combine la harina, el bicarbonato de sodio, el polvo para hornear, la sal y las especias. Agregue a la mezcla de manteca; revuelva bien. Tape; refrigere hasta que la masa esté firme, por unas 8 horas. Caliente el horno a 180 °C.

2. Extienda la masa sobre una superficie enharinada hasta que tenga un grosor de .7 cm. Corte en la forma deseada y coloque en las charolas preparadas. Hornee de 6 a 8 minutos o hasta que las orillas empiecen a dorar.

Rinde unas 2½ docenas de galletas

Árbol de Navidad de Galletas

Galletas Noruegas

2 huevos, a temperatura ambiente
3 cucharadas de azúcar granulada
¼ de taza de mantequilla derretida
2 cucharadas de leche
1 cucharadita de vainilla
1½ a 2 tazas de harina de trigo
   Aceite vegetal
   Azúcar glass

Con la batidora a velocidad media, bata los huevos y el azúcar hasta que espese y adquiera un color limón. Agregue la mantequilla, la leche y la vainilla; bata hasta mezclar bien. Poco a poco, añada 1½ tazas de harina. Bata a velocidad baja hasta incorporar todo. Añada suficientes cucharadas de harina para formar una masa suave. Divida la masa en 4 porciones; tape y refrigere hasta que esté firme, durante 2 horas por lo menos o por toda la noche.

Con las manos enharinadas, con 1 porción de masa a la vez, forme un cuadro de 2.5 cm de grosor. Coloque la masa sobre una superficie ligeramente enharinada. Extienda la masa hasta obtener un cuadro de 27.5 cm. Corte la masa en tiras de 3 cm; córtela diagonalmente a intervalos de 5 cm. Haga un corte vertical de 3 cm en el centro de cada tira. Inserte uno de los extremos a través del corte; repita la operación con cada tira. Haga lo mismo con la masa restante.

Caliente el aceite en una sartén grande a 185 °C. Coloque 12 galletas a la vez en el aceite caliente. Fría durante 1½ minutos o hasta que estén doradas; voltéelas una vez. Escurra sobre toallas de papel. Espolvoree con azúcar glass. Las galletas saben mejor si se sirven inmediatamente, pero puede almacenarlas en un recipiente hermético durante 1 día. *Rinde unas 11 docenas de galletas*

Galletas de Canela

CUBIERTAS

2 cucharadas de azúcar
½ cucharadita de canela en polvo
2 claras de huevo
1 cucharadita de agua

GALLETAS

¾ de taza de mantequilla suavizada
2 yemas de huevo
1 cucharadita de extracto de vainilla
1 paquete de harina preparada para torta de vainilla
   48 almendras enteras para adornar (opcional)

1. Caliente el horno a 190 °C.

2. Para las Cubiertas, combine el azúcar y la canela en un recipiente pequeño. En otro recipiente pequeño, mezcle las claras de huevo y el agua; bata ligeramente con un tenedor.

3. Para las Galletas, combine la mantequilla, las yemas de huevo y el extracto de vainilla en un recipiente grande. Poco a poco, agregue la harina para torta. Bata hasta incorporar bien. Forme bolitas pequeñas con 1 cucharada rasa de masa. Sumerja la mitad de la bolita en la mezcla de clara de huevo y luego en la mezcla de canela y azúcar. Coloque la bolita, con la parte de azúcar hacia arriba, en una charola sin engrasar, a 5 cm de distancia. Ponga una almendra encima. Repita la operación con la masa restante. Hornee a 190 °C de 9 a 10 minutos o hasta que se inflen y las orillas estén ligeramente doradas. Deje enfriar durante 2 minutos en la charola. Retire y deje enfriar por completo. *Rinde 48 de galletas*

Galletas Noruegas

Galletas de Jengibre con Puré de Manzana

    4 tazas de harina de trigo
    2 cucharaditas de jengibre en polvo
    2 cucharaditas de canela en polvo
    1 cucharadita de bicarbonato de sodio
    ½ cucharadita de sal
    ¼ de cucharadita de nuez moscada molida
    ½ taza de margarina suavizada
    1 taza de azúcar
    ⅓ de taza de melaza light
    1 taza de puré de manzana
        Betún Decorativo (receta más adelante)

Cierna juntos la harina, el jengibre, la canela, el bicarbonato de sodio, la sal y la nuez moscada. En un recipiente, con la batidora a velocidad alta, bata la margarina, el azúcar y la melaza hasta obtener una consistencia cremosa. De manera alternada, agregue los ingredientes secos y el puré de manzana. Tape y refrigere la masa durante algunas horas o por toda la noche.

Caliente el horno a 190 °C. Sobre una superficie enharinada, extienda la masa hasta que tenga .7 cm de grosor. Corte la masa en forma de hombrecitos de jengibre o cualquier otra figura. Coloque sobre charolas engrasadas. Hornee durante 12 minutos o hasta que estén listas. Retire de la charola y deje enfriar. Decore con el Betún Decorativo. Después de que el betún seque, guárdelas en un recipiente hermético.

Rinde 2½ docenas de galletas (de 15 cm)

Betún Decorativo: Mezcle 2 tazas de azúcar glass con 1 cucharada de agua. Agregue más agua, 1 cucharadita a la vez, hasta que el betún tenga la consistencia necesaria para aplicarlo con la duya.

Spritz de Chocolate

    1 paquete de harina preparada para galletas
        de azúcar
    ⅓ de taza de cocoa sin endulzar
    1 huevo
    ⅓ de taza de aceite vegetal o de canola
    2 cucharadas de agua

1. Caliente el horno a 190 °C.

2. Combine la harina para galletas y la cocoa en un recipiente grande. Agregue el huevo, el aceite y el agua; bata hasta que se incorporen completamente.

3. Rellene la máquina para galletas con la masa. Coloque las galletas en charolas para hornear sin engrasar, con una separación de 5 cm entre sí. Hornee a 190 °C de 6 a 8 minutos o hasta que estén listas. Deje enfriar durante 1 minuto en las charolas. Retire y deje enfriar completamente.

Rinde de 5 a 6 docenas de galletas

Nota: Para deliciosas galletas sin colesterol, sustituya el huevo por 2 claras de huevo.

Consejo: Para galletas festivas, decore antes de hornear con diversos adornos o, después de hornear, con chispas de chocolate derretidas y nuez picada.

Spritz de Chocolate

Galletas Sándwich Linzer

1⅓ tazas de harina de trigo
¼ de cucharadita de polvo para hornear
¼ de cucharadita de sal
¾ de taza de azúcar granulada
½ taza de mantequilla suavizada
1 huevo
1 cucharadita de vainilla
   Azúcar glass (opcional)
   Jalea de frambuesa sin semillas

Combine la harina, el polvo para hornear y la sal en un recipiente pequeño. En un recipiente mediano, con la batidora a velocidad media, bata la mantequilla y el azúcar hasta obtener una consistencia ligera y esponjosa. Agregue el huevo y la vainilla. Gradualmente, incorpore la mezcla de harina. Bata a velocidad baja hasta que se forme la masa. Divida la masa por la mitad; cubra y refrigere durante 2 horas o hasta que esté firme.

Caliente el horno a 190 °C. Trabajando con 1 porción de masa a la vez, extiéndala sobre una superficie enharinada hasta que tenga un grosor de .7 cm. Corte la masa con las figuras que desee. Corte otra figura igual para cada galleta. (Si la masa se suaviza demasiado, refrigérela durante algunos minutos antes de continuar.) Corte los centros de la mitad de las galletas con la figura deseada. Utilice los recortes de masa para hacer más galletas. Ponga las galletas en una charola sin engrasar, con una separación de 5 cm. Hornee de 7 a 9 minutos o hasta que las orillas se doren ligeramente. Deje reposar en las charolas de 1 a 2 minutos. Retire de las charolas y deje enfriar completamente.

Si lo desea, espolvoree azúcar glass sobre las galletas con hueco. Unte una cucharadita de jalea sobre la parte plana de las galletas enteras. Coloque las galletas huecas encima de la jalea.
Rinde unas 2 docenas de galletas

Galletas de Chocolate de Santa

1 taza de mantequilla
⅔ de taza de chispas de chocolate semiamargo
¾ de taza de azúcar
1 huevo
½ cucharadita de vainilla
2 tazas de harina de trigo
   Jalea de chabacano (albaricoque), chocolate semiamargo derretido, almendras picadas, betún, coco o granillo de colores

Caliente el horno a 180 °C. Derrita la mantequilla y las chispas de chocolate en una sartén a fuego bajo. Combine la mezcla de chocolate y el azúcar en un recipiente grande. Agregue el huevo y la vainilla; bata bien. Añada la harina y mezcle bien. Refrigere durante 30 minutos.

Forme bolitas de masa de 2.5 cm. Colóquelas en charolas sin engrasar, a 2 cm de distancia entre sí. Si lo desea, aplane las bolitas con el fondo de un vaso, déles forma de tronco o haga un hueco en el centro de la galleta y rellene con jalea.

Hornee de 8 a 10 minutos o hasta que estén listas. Retire de las charolas y deje enfriar. Decore al gusto con el chocolate derretido, las almendras, el betún, el coco y el granillo de colores.
Rinde unas 3 docenas de galletas

Galletas Sándwich Linzer

Huellitas de Chocolate

½ taza (1 barra) de mantequilla o margarina
    suavizada
⅔ de taza de azúcar
1 huevo, separado
2 cucharadas de leche
1 cucharadita de extracto de vainilla
1 taza de harina de trigo
⅓ de taza de cocoa
¼ de cucharadita de sal
1 taza de nuez picada
    Betún de Vainilla (receta más adelante)
    26 besos de chocolate de leche, mitades
      de nuez o mitades de dulces de cereza

Bata la mantequilla, el azúcar, la yema de huevo, la leche y la vainilla en un recipiente pequeño hasta obtener una consistencia ligera y esponjosa. Combine la harina, la cocoa y la sal; gradualmente, agregue a la mezcla de mantequilla, batiendo hasta incorporar bien. Tape y refrigere durante 1 hora o hasta que esté lo suficientemente firme como para amasarla. Caliente el horno a 180 °C. Engrase una charola para galletas. Forme bolitas de 2.5 cm. Con un tenedor, bata ligeramente la clara de huevo. Sumerja cada bolita en la clara de huevo y ruédela sobre las nueces. Coloque las galletas en la charola preparada. Presione con el pulgar el centro de cada galleta.

Hornee de 10 a 12 minutos o hasta que estén listas. Mientras, prepare el Betún de Vainilla. Retire la envoltura de los chocolates. Quite las galletas de la charola y deje enfriar durante 5 minutos. Rellene las hendiduras de las galletas con ¼ de cucharadita de betún. Ponga un chocolate encima de cada galleta. Deje enfriar completamente.

Rinde unas 2 docenas de galletas

Betún de Vainilla

½ taza de azúcar glass
1 cucharada de mantequilla suavizada
2 cucharaditas de leche
¼ de cucharadita de extracto de vainilla

Bata el azúcar glass, la mantequilla, la leche y la vainilla, hasta obtener una consistencia suave.

Lunas de Almendra Cubiertas de Nieve

1 taza (2 barras) de mantequilla o
    margarina suavizada
¾ de taza de azúcar glass
½ cucharadita de extracto de almendra o 2
    cucharaditas de vainilla
1¾ tazas de harina de trigo
¼ de cucharadita de sal (opcional)
1 taza de avena sin cocer (rápida o
    tradicional)
½ taza de almendras finamente picadas
    Azúcar glass

Caliente el horno a 160 °C. Bata la margarina, el azúcar y el extracto de almendra hasta que se incorporen. Agregue la harina de trigo y la sal, si lo desea. Añada las almendras y la avena. Forme las lunas en cuarto creciente con una cucharada rasa de la masa. Hornee en una charola sin engrasar, de 14 a 17 minutos o hasta que la base de la galleta esté ligeramente dorada. Retire de la charola. Cierna el azúcar glass sobre las galletas todavía calientes. Deje enfriar por completo. Guarde en un recipiente hermético.

Rinde unas 3 docenas de galletas

Lunas de Almendra Cubiertas de Nieve

Adornos Navideños

2¼ tazas de harina de trigo
¼ de cucharadita de sal
1 taza de azúcar granulada
¾ de taza de mantequilla suavizada
1 huevo
1 cucharadita de vainilla
1 cucharadita de extracto de almendra
Betún (receta más adelante)
Dulces o adornos variados

Combine la harina de trigo y la sal en un recipiente mediano. En un recipiente grande, con la batidora a velocidad media, bata el azúcar y la mantequilla, hasta obtener una consistencia ligera y esponjosa. Bata el huevo, la vainilla y el extracto de almendras. Poco a poco, agregue la mezcla de harina. Bata a velocidad baja hasta incorporar bien. Divida la masa por la mitad; tape y refrigere durante 30 minutos o hasta que esté firme.

Caliente el horno a 180 °C. Sobre una superficie enharinada, extienda cada porción de masa hasta que tenga un grosor de .7 cm. Corte la masa con las figuras navideñas deseadas. Utilice los recortes de masa para hacer más galletas. Coloque las galletas en charolas sin engrasar. Con un cuchillo afilado, agujere la parte superior de cada galleta para poder insertar un listón o un cordón. Hornee de 10 a 12 minutos o hasta que las orillas estén doradas. Deje reposar en la charola durante 1 minuto. Retire de las charolas y deje enfriar completamente.

Prepare el Betún. Colóquelo en una bolsa de plástico; corte una esquina de la bolsa. Decore las galletas al gusto. Adorne con los dulces. Deje reposar a temperatura ambiente durante 40 minutos o hasta que estén firmes. Ensarte un listón a través de cada agujero. Cuelgue las galletas en el árbol de Navidad.

Rinde unas 2 docenas de galletas

Betún

2 tazas de azúcar glass
2 cucharadas de leche o jugo de limón
Colorantes vegetales (opcional)

En un recipiente pequeño, bata el azúcar y la leche hasta obtener una consistencia suave. (El betún quedará muy espeso. Si está demasiado espeso, agregue 1 cucharadita más de leche.) Divida el betún en recipientes pequeños y píntelo al gusto.

Adornos Navideños

Galletas Navideñas

2¼ tazas de harina de trigo
¼ de cucharadita de sal
1¼ tazas de azúcar glass
1 taza de mantequilla suavizada
1 huevo
1 cucharadita de vainilla
1 cucharadita de extracto de almendras
Colorante vegetal verde (opcional)
Cerezas de dulce rojas y verdes, y dulces variados para decorar (opcional)
Betún (receta más adelante, opcional)

Caliente el horno a 190 °C. Combine la harina y la sal en un recipiente mediano. En un recipiente grande, con la batidora eléctrica, bata el azúcar glass y la mantequilla hasta obtener una consistencia ligera y esponjosa. Agregue el huevo, la vainilla y el extracto de almendras; bata muy bien. De manera gradual, añada la mezcla de harina. Bata a velocidad baja hasta incorporar bien.

Divida la masa por la mitad. Si lo desea, pinte la mitad de la masa con colorante verde. Rellene la máquina para galletas y coloque el molde deseado (cambie los moldes después de la primera hornada). Coloque las galletas en una charola sin engrasar, con una separación de 5 cm entre sí. Decore las galletas con cerezas y dulces, si lo desea.

Hornee de 10 a 12 minutos o hasta que estén listas. Retire de las charolas y deje enfriar completamente.

Prepare el Betún, si lo desea. Aplíquelo sobre las galletas frías. Puede decorar con las cerezas y los dulces. *Rinde unas 5 docenas de galletas*

Betún

1½ tazas de azúcar glass
2 cucharadas de leche más leche adicional, si es necesaria
⅛ de cucharadita de extracto de almendra

Coloque el azúcar glass, la leche y el extracto de almendra en un recipiente. Mezcle con una cuchara hasta obtener una consistencia suave.

Galletitas Corrugadas de Chocolate

2 tazas de azúcar granulada
¾ de taza de aceite vegetal
¾ de taza de cocoa
4 huevos
2 cucharaditas de extracto de vainilla
2⅓ tazas de harina de trigo
2 cucharaditas de polvo para hornear
½ cucharadita dc sal
Azúcar glass

Mezcle el azúcar y el aceite; agregue la cocoa y bata bien. Añada los huevos y la vainilla. En otro recipiente, combine la harina, el polvo para hornear y la sal. Incorpore a la mezcla de cocoa; mezclando bien. Tape; refrigere durante 6 horas por lo menos. Caliente el horno a 180 °C. Engrase una charola para galletas. Forme bolitas de 2.5 cm y ruédelas en azúcar glass. Colóquelas en la charola preparada, con una separación de 5 cm entre sí. Hornee de 12 a 14 minutos o hasta que casi no se hundan al tocarlas. Retire de la charola. Deje enfriar.
Rinde unas 4 docenas de galletas

Galletas Navideñas

Galletas de Jengibre con Especias

GALLETAS

¾ de taza de mantequilla suavizada
⅔ de taza de melaza light
½ taza de azúcar morena
1 huevo
1½ cucharaditas de ralladura de cáscara de limón
2½ tazas de harina de trigo
1 cucharadita de especias mixtas molidas
1¼ cucharaditas de canela en polvo
1 cucharadita de vainilla
½ cucharadita de bicarbonato de sodio
½ cucharadita de sal
½ cucharadita de jengibre molido
¼ de cucharadita de polvo para hornear

BETÚN

4 tazas de azúcar glass
½ taza (1 barra) de mantequilla suavizada
4 cucharadas de leche
2 cucharaditas de vainilla
Colorante vegetal (opcional)

Para las Galletas, combine la mantequilla, la melaza, el azúcar morena, el huevo y la ralladura de limón. Bata a velocidad media hasta obtener una consistencia suave y cremosa. Agregue el resto de los ingredientes de la galleta. Reduzca la velocidad a baja; bata bien. Tape; refrigere durante 2 horas por lo menos. Caliente el horno a 180 °C. Extienda la mitad de la masa hasta que tenga un grosor de .7 cm. Corte las galletas con cortadores de 7.5 a 10 cm. Colóquelas en charolas engrasadas. Hornee de 6 a 8 minutos o hasta que no se hundan cuando las toque. Retire de inmediato. Deje enfriar.

Para el Betún, combine el azúcar glass, la mantequilla, la leche y la vainilla en un recipiente pequeño. Bata a velocidad baja hasta obtener una consistencia esponjosa. Pinte con el colorante vegetal, si lo desea. Decore las galletas.

Rinde unas 4 docenas de galletas

Galletas Suaves de Melaza

2 tazas de harina de trigo
1 taza de azúcar
¾ de taza de mantequilla suavizada
⅓ de taza de melaza light
3 cucharadas de leche
1 huevo
½ cucharadita de bicarbonato de sodio
½ cucharadita de jengibre molido
½ cucharadita de canela en polvo
½ cucharadita de clavo en polvo
⅛ de cucharadita de sal
Azúcar adicional para cubrir

Combine la harina, 1 taza de azúcar, la mantequilla, la melaza, la leche, el huevo, el bicarbonato de sodio, el jengibre, la canela, el clavo y la sal. Bata a velocidad baja hasta que se incorporen, de 2 a 3 minutos. Tape; refrigere hasta que esté lo suficientemente firme como para amasarla, durante 4 horas por lo menos o por toda la noche. Caliente el horno a 180 °C. Forme bolitas de 2.5 cm. Ruédelas sobre el azúcar. Colóquelas en charolas sin engrasar, con una separación de 5 cm entre sí. Hornee de 10 a 12 minutos o hasta que se sientan firmes al tocarlas. Retírelas inmediatamente.

Rinde unas 4 docenas de galletas

Galletas de Jengibre con Especia

Galletas Linzer Cubiertas de Chocolate

3 tazas de avellanas tostadas, sin piel
1 taza de mantequilla sin sal, suavizada
1 taza de azúcar glass, cernida
½ cucharadita de ralladura de cáscara de limón
¼ de cucharadita de sal
½ huevo*
3 tazas de harina de trigo cernida
½ taza de pasta de nougat**
½ taza de jalea de frambuesa sin semillas
6 tablillas (de 30 g cada una) de chocolate semiamargo
2 cucharadas de manteca

*Para medir ½ huevo, bata ligeramente 1 huevo en una taza medidora; retire la mitad para usarla en la receta.

**La pasta de nougat es una mezcla de avellanas molidas, azúcar y chocolate semiamargo; está disponible en la sección de dulces del supermercado o en la sección de comida gourmet. Si no la encuentra, sustitúyala por chocolate semiamargo derretido.

Coloque 1½ tazas de avellanas en el procesador de alimentos o en la licuadora; muela finamente. (Debe obtener ½ taza de avellana molida. En caso necesario, muela más avellanas.) Reserve algunas para adornar.

Bata la mantequilla, el azúcar, la cáscara de limón y la sal en un recipiente grande, hasta que se incorporen. *No bata de más.* Agregue ½ huevo y revuelva hasta que todo esté bien mezclado. Agregue la avellana molida. Gradualmente, agregue la harina. Divida la masa en cuartos. Envuelva cada porción; refrigérelas hasta que estén firmes, durante unas 2 horas.

Caliente el horno a 180 °C. Cubra charolas para galleta con papel pergamino. Extienda la masa, un cuarto a la vez, hasta que tenga un grosor de .7 cm. Corte las galletas con un cortador redondo de 3 cm. Colóquelas en las charolas preparadas, con una separación de 1 cm entre sí.

Hornee de 7 a 8 minutos o hasta que hayan dorado ligeramente. Deje enfriar completamente en las charolas. Coloque la pasta de nougat en una duya con punta redonda de .5 cm. Ponga ¼ de cucharadita en el centro de ⅓ de las galletas. Coloque una galleta sobre la pasta. Presione con suavidad.

Llene la duya con punta redonda de .8 cm con la jalea de frambuesa. Ponga ⅓ de cucharadita de jalea en el centro de la segunda capa de galletas. Coloque encima las galletas restantes; presione con suavidad. Deje reposar durante aproximadamente 1 hora.

Derrita el chocolate y la manteca en una sartén pequeña y pesada, a fuego bajo; bata hasta obtener una consistencia suave. Sumerja la parte superior de cada galleta en la mezcla de chocolate. Sacuda para quitar el exceso de chocolate. Coloque las galletas, con el chocolate hacia arriba, sobre rejillas de alambre; ponga una avellana en el centro del chocolate. Deje reposar hasta que el chocolate esté firme.

Rinde unas 4 docenas de galletas

ÍNDICE

Notas